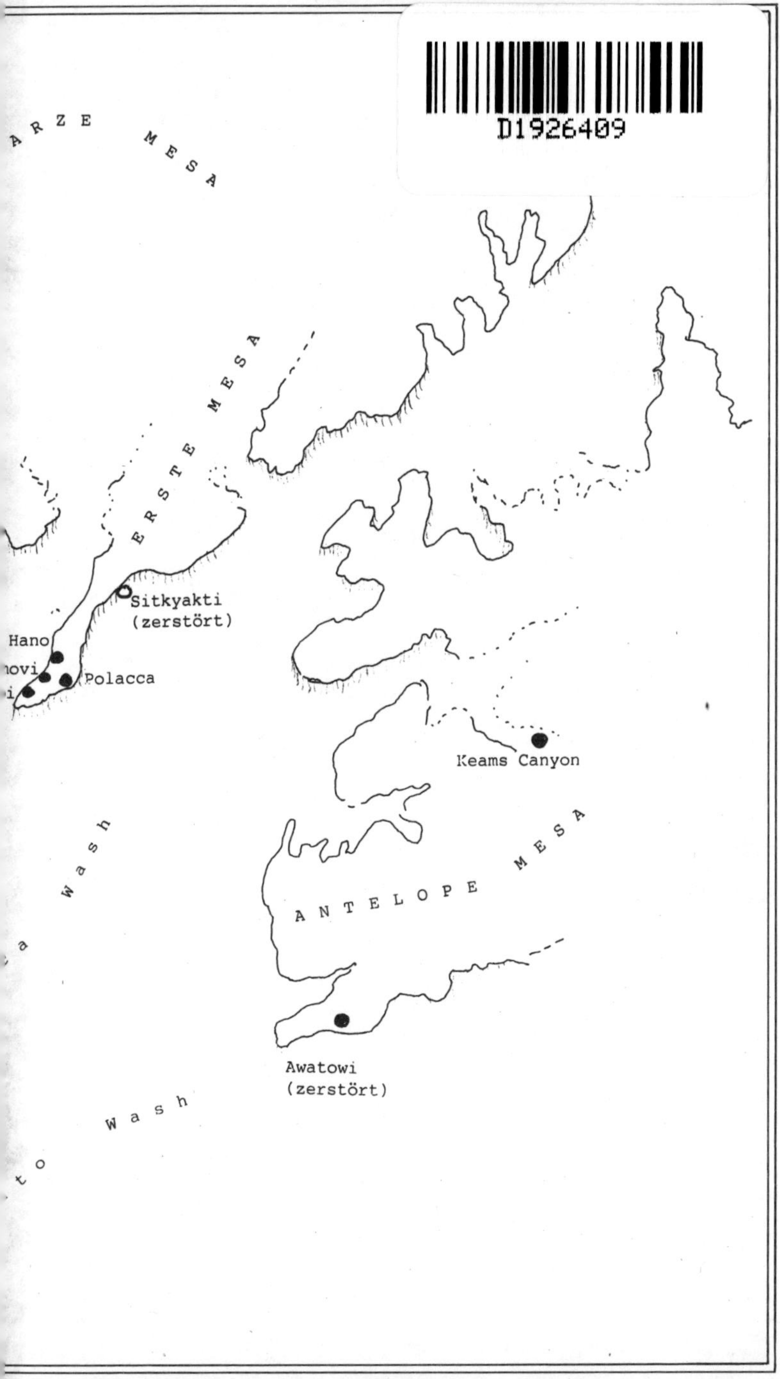
ARZE MESA
ERSTE MESA
Sitkyakti
(zerstört)
Hano
Polacca
Keams Canyon
ANTELOPE MESA
Awatowi
(zerstört)
Wash
Wash

D1926409

N&K

Hanna Johansen
Zurück nach Oraibi
Roman

Nagel & Kimche

Umschlag durch Heinz Unternährer
Gesetzt in der Baskerville-Antiqua
Satz: Büchler+Co AG, Wabern
Druck und Einband: Wiener Verlag, Himberg
ISBN 3-312-00122-6

Lass nicht zu,
dass Zorn dich vergiftet

1910

Nein, nicht die Bretter. Nicht der Geruch von Scheuerseife. Das ist vorbei. Ein Traum. Es ist der Zug nach Santa Fé, der durch den glühenden Julitag von Kalifornien rattert, von Riverside durch die Gärten, Felder und Weinberge hinter Los Angeles, und hinein in die Mojave-Wüste. Ihre Höhen kommen uns entgegen. Durch hügelige Einöden, Bergschluchten und das ausgetrocknete Bett des Mojave River geht es, durch Siberia und Bagdad. Flußläufe ohne Wasser kreuzen die Gleise. Die blendende Weite von trockenliegenden Seen, in die sie münden. Lavafelder und Krater. Cadiz. Durch Wüstenebenen vorbei an den Sacramento-Bergen ins weite grüne Tal. Dann sind wir in Arizona, fahren von einer kleinen Stadt zur nächsten, Yucca, Drake und Griffith, bis Kingman, wo die Lokomotive kreischt, die Wagen ächzend zum Stehen kommen und der Bahnhof mit seinem Gewühl von Menschen und Wagen und Hunden auf uns wartet. Neue Reisende steigen ein. Eine Frau mit einem dicken Kind. Dann setzt der Zug sich wieder in Bewegung.

Seit Stunden sitze ich in diesem Wagen, sitze still, wage mich kaum zu rühren, weil ich noch nie allein in der Eisenbahn gefahren bin. Ich schaue vorwärts, denn ich fahre nach Hause, zurück nach Oraibi. Vier Jahre war ich in Kalifornien. Wer von Riverside nach Oraibi fährt, muß einen ganzen langen Tag im Zug sitzen. In Winslow steigt man aus. Von da sind es noch ein paar Tagereisen, wenn man zu Fuß geht. Aber wenn man im Pferdekarren abgeholt wird, kann man es in etwas mehr als einem Tag schaffen.

Auf einer Bank von lackierten Holzlatten sitze ich, fahre mit dem Finger über die glänzenden Schrauben,

schaue aus dem staubigen Fenster, während in meinem Kopf die Gedanken herumwirbeln. Alte Männer sehe ich in sanftem Morgenlicht, wie sie zu den sandigen Äckern wandern und singen, ihre Hacken auf dem Rücken. Die klingenden Schritte der Geister, wenn sie zu uns ins Dorf kommen. Regenwolken, auf die wir gewartet haben. Priester, geschmückt mit Silber, Muscheln und Türkis, zerschmettert vom Dach, unter dem sie sich versammelt hatten. Gesichter, bitter vor Ratlosigkeit, grau vor Zorn. Die Wasserschlange, die ihren starren Blick auf mich richtet und nur darauf wartet, mir etwas Böses zu tun.
Das Kind gegenüber starrt mich an.
«Mama», sagt es, «guck mal die Frau da.»
Es meint mich. Sehe ich aus, als wäre ich schon eine Frau? Bin ich nicht mehr das kleine Mädchen, das vor vier Jahren nach Westen gefahren ist? Ich weiß es nicht.
Mein Kopf ist müde, weil ich in der letzten Nacht nicht schlafen konnte vor Aufregung und weil ich geweint habe, als ich von meinen Freunden Abschied nehmen mußte. Jetzt denke ich an meine starke Mutter Sevenka, an meinen kleinen Vater Koyawayma, meinen großen Bruder, meine Schwester und die kleinen Brüder. Dann sinkt mein Kopf auf die neue Tasche auf meinem Schoß, eine große, starke Tasche. Ich habe sie in Riverside von meinem eigenen Geld gekauft, und es ist eine Tüte mit Äpfeln drin. Und wegen der Hitze und wegen der langen Reise und wegen dieser Eisenbahn, die unablässig rattert, falle ich in einen aufgeregten Schlaf und träume von Orangen, von Tomaten, Bananen, von Kürbissen, Reis und Apfelkuchen. Dann träume ich von Melonen, wie sie zu Hause wachsen. Ich atme ihren Duft.
«Mama», höre ich das Kind gegenüber sagen, «Mama,

guck mal die Frau, die hat sich nicht gewaschen!»
«Psch!» sagt die Mutter.
«Aber sie ist schmutzig!» sagt das Kind. Aus den Augenwinkeln sieht es mich an. Dann schaut es aus dem Fenster.
Ich mache meine Augen wieder zu. Vielleicht denken sie, daß ich es nicht gehört habe. Aber ich habe es gehört. Ich habe es schon oft gehört. Das oder etwas Ähnliches. Das Kind kann nichts dafür. Es hat noch keine Indianer gesehen. Aber es ist schwer, sich daran zu gewöhnen. An die Blicke, an das Zurückzucken von Menschen, die mißtrauisch werden, wenn jemand nicht die gleiche Hautfarbe hat wie sie. Der Schöpfer hat viele Farben geschaffen, sie aber glauben nur an eine.
Unter den waldigen Gipfeln fahren wir durch Täler und Schluchten, und die Worte des Kindes haben sich in meinem Kopf eingenistet wie böse Geister. Die Frau ist schmutzig.
Wir überqueren trockene Flußläufe, in denen Kiesel liegen, rundgeschliffene Steine, verstreut über die sandbedeckten Seiten der Täler. Wie mögen die Flüsse heißen, die hier in den feuchteren Jahreszeiten fließen? Sie sehen aus wie bei uns.

Der Oraibi Wash fließt im Tal zwischen unserer und der nächsten Mesa, ungefähr fünfzehn Kilometer weiter weg. Oben am Rand des Kliffs habe ich gesessen und in die Ferne gestarrt. Immerzu bewegte der Wind den Sand der Dünen, deckte alte Kochtöpfe auf, Mahlsteine und Pfeilspitzen, und dann deckte er sie wieder zu. Hier hatte früher mein Volk gelebt, bei diesem kleinen Fluß. Überall im Tal hatten die Menschen Spuren aus jener Zeit zurückgelassen. Jetzt wohnten sie oben auf den drei Mesas, deren steile Sandsteinkliffs mehr Schutz boten vor Überfällen. Aber wie schwer war es, jeden Tag das Wasser von der Quelle heraufzutragen, wie mühselig, den langen Weg zu den Gärten und Feldern ins Tal hinunterzugehen, und wie langwierig, das Vieh die steilen Pfade hinunter zu den Weideplätzen und abends wieder hinaufzuführen in die bewachten Einfriedigungen, damit es nicht von den Feinden gestohlen wurde.

Einzelne neue Häuser mit Wellblechdächern sah man verstreut im Tal liegen. Mutter sagte, daß sie von den Weißen im Osten bezahlt wurden, weil sie nicht wollten, daß wir alle beieinander wohnten. Aber den größten Teil des Jahres standen sie leer.

In der Zeit der Wolkenbrüche schwoll der Oraibi Wash, der oft gar kein Wasser führt, zu einem reißenden Strom an, der in einer einzigen Nacht alles mit sich fortspülen konnte. Zu einer tiefen Rinne war er geworden, und die Schlucht wird von Jahr zu Jahr breiter. Dort hatte Häuptling Lololoma dem Pastor Voht und seiner Familie Land zugewiesen für das Missionshaus, aber mit der Zeit zeigte sich, daß es zu nah am Fluß war. Das Wasser wirbelte den losen Sand stromabwärts und unterhöhlte das Grundstück.

Mein Vater hat für den Missionar gearbeitet, um etwas Geld zu verdienen. Und von ihm lernte er Dinge, die er in unserm Dorf gebrauchen konnte: Zimmermannsarbeiten, Zähneziehen, Geburtshilfe. Eine Zange hatte Pastor Voht ihm gegeben, aber wenn eine Frau gebären sollte, nahm er nicht nur diese Zange mit, sondern auch das Wu-u-si, ein Grasbüschel, mit dem man über das Gesäß der Frau streicht, um böse Mächte zu verscheuchen, die die Geburt verzögern wollen. Ich bin hinter meinem Vater hergelaufen, so oft ich konnte, und während wir ins Tal hinunterkletterten, drückte ich eine von meinen

Kachina-Puppen an mich, die Vater mir aus dem Holz von Baumwollpappeln geschnitzt und mit leuchtenden Farben und Federn geschmückt hatte. Andere Kinder fürchteten sich vor Weißen. Ich nicht. Aber ich bin trotzdem nicht von Vaters Seite gewichen. Bahan-ko-wa-ko-hoya hieß er im Dorf, weil er alles konnte und alles machte, was Pastor Voht ihm auftrug. Der kleine Hahn des weißen Mannes.

Oder ich ging mit meiner Mutter, mit andern Frauen und Kindern hinaus, um Pflanzen und Kräuter zu sammeln. Allmählich wurde mein Rücken stark genug, daß ich einen kleinen Krug umhängen und Mutter helfen konnte, unser Wasser heraufzutragen aus dem tiefen Trichter der Quelle, wo die Wasserschlange wohnt. Und mit der Zeit konnte ich helfen, für meine kleinen Brüder zu sorgen.

Wir spielten das Eichhörnchenspiel, sammelten Nüsse von unsichtbaren Bäumen. Wir waren Präriehunde, Kojoten und kleine Eulen im Versteck. Wir spielten Wettrennen, sangen Lieder für unsere Puppen. Wir sangen fürs Essen und für ein paar Wassertropfen. «Anoshka-eh, anoshka-eh», und niemand wußte, was die alten Worte hießen. Aber wir wußten, daß sie gut waren. Und dann kehrten wir durch die graue Lehmstraße, die gesäumt war von grauen Steinhäusern, zurück zu unserer Mutter, die am Herd stand, um Piki zu backen.

Und was für ein Fest war es, wenn wir einen Piki-Stein suchen gingen. Ein guter, flacher Stein in der richtigen Größe mußte es sein, und er wurde behandelt wie eine heilige Magd, die der Familie dienen sollte, wurde heimgetragen, abgeschliffen, geglättet und dann mit gekauten Melonenkernen geölt. Sehr sorgfältig wurde er erwärmt. Und wenn Mutter zum erstenmal Piki darauf machte, übergab sie das allererste hauchdünne

Maisbrotblättchen den Flammen als eine Gabe für die Magd.
Und Mutter stapelte das Feuerholz neben dem Herd auf, das Vater am Abend auf seinem Esel aus dem Tal heraufbrachte. Den ganzen Tag hatte er gebraucht, es zu sammeln.
Und ich sehe wieder das alte, sorgenzerfurchte Gesicht von Häuptling Lololoma vor mir. Oft saß er schon vor Anbruch der Morgendämmerung am Rand der Mesa, in seine Decke gehüllt, und betete mit ostwärts gewandtem Gesicht. So sah ich ihn sitzen, wenn nach und nach die andern Dorfbewohner aus ihren Häusern traten und zu ihm herauskamen.
«Warum sitzt er immer so da?» fragte ich meine Mutter.
Sie versuchte es zu erklären.
«Er ist verantwortlich für das Wohl unseres Dorfs», sagte sie. «Durch tägliches Beten muß er den Weg suchen für sein Volk. Darum nennt er uns seine Kinder, und wir nennen ihn unsern Vater. Er betet für langes Leben, Reinheit, reiche Ernten. Er betet für Regen. Er betet für das Gute in den Pflanzen, die wir brauchen, und im Lehm, den wir zu Töpfen formen, und in den Felssteinen, die wir aufeinanderstellen, um Häuser zu bauen.»
«Dafür beten wir auch.»
«Dein Vater und ich», sagte Mutter, «wir sind verantwortlich für das Wohl unseres Hauses und unserer Kinder. Lololomas Pflicht ist, dafür zu sorgen, daß wir geistig ernährt werden. Deshalb betet er am Morgen und am Abend. Er ist der Vater in unserm geistigen Haus.»
Und während nun vor uns im Osten die Berge wachsen und wir unaufhaltsam darauf zufahren, höre ich die Stimme meiner Mutter. «Nichts ist reichlicher als

der Sand von Mutter Erde.» Ich habe so viel gefragt, und sie hat mir von ihrem Wissen gegeben, leise und klug. Dann verwandelt sich die Stimme. Sie stößt einen Schrei aus.

«Polingaysi!»

Ich renne, so schnell ich rennen kann. Der kleine Bruder auf meinem Arm ist schwer und wird noch schwerer. Ich rutsche im Schnee. Meine Schuhe sind weg. Ich falle und kann nicht mehr aufstehn. Dann renne ich wieder, aber meine Beine wollen sich nicht bewegen.

«Komm schnell! Sie fangen die Kinder ein!»

Mutters angstverzerrtes Gesicht. Das Gewicht der Decken, unter denen ich mich versteckt habe. Die Zeit, die nicht vergeht.

«Nein, nein», will ich schreien.

Aber ein Hopi-Mädchen schreit nicht.

Dann fährt der Zug hinein in das Bergland, das uns noch vom Land der Hopi trennt. Er schlängelt sich durch grüne Berge. Er steigt und steigt, und neben uns erheben sich die Gipfel, in denen die Adler nisten.

Niman-Kachina

Da tauchen vor uns die schneebedeckten Höhen der San-Francisco-Berge auf. Ihr schimmerndes schwimmendes Weiß steht vor dem wolkenlosen Blau des Himmels von Arizona.
Ich schaue und schaue, bis die Klarheit der Gipfel zu ertrinken beginnt, und wenn ich die Augen schließe, sehe ich sie wieder vor mir in all ihrer Deutlichkeit. Nuvadakaovi. Dort in der Höhe wohnen die Kachinas, aber nicht jetzt, im Sommer, denn jetzt sind sie bei uns zu Hause auf den Mesas und helfen, den Jahreskreislauf zu vollenden. Ich sehe sie vor mir, Geistwesen, mit ihren schwarzen Körpern und mächtigen Masken, links gelb, rechts blau, darüber ein gemalter Schild von aufgetürmten Wolken, mit Ähren von wildem Weizen und Adlerdaunen besteckt; sehe ihre hoch aufragenden Adlerschwanzfedern, und über allem den Regenbogen. Von den Gürteln ihrer Röcke hängen Fichtenäste, und Fichtenäste tragen sie am Hals und an den Armbändern. Das sind die Hemiskachinas. Ein schöner Name. Er bedeutet, daß sie von fernen Welten kommen. Ich sehe, wie sie einziehen auf dem großen Platz in unserm Dorf, und dann die Kachin-manas, die Frauen, mit ihren Masken von leuchtendem Orange, die Haare zu mächtigen Seitenwülsten aufgesteckt. Und ich höre das Stampfen ihrer Füße, wie ich gleichzeitig das Stampfen der Eisenbahn höre, und die Musik ihrer Rasseln aus Hirschhufen und Schildkrötenpanzern und den zarten Klang der Glöckchen, die sie am linken Bein tragen.
Sie tanzen.
Das ist der Abschied. Im Juli kehren sie zu den San-Francisco-Bergen zurück.

Die Kachinas, ich kann nicht an sie denken, ohne Hunger zu bekommen, diesen Hunger, der nicht aufhören wollte, als ich ein Kind war. Gute und schlechte Jahre gab es in Oraibi, aber die meisten waren schlecht, und viele so schlecht, daß ich Angst hatte, wir müßten vor Hunger sterben. Wenn der Mais schon gepflanzt war, kamen späte Fröste und zerstörten die Pflanzen. Oder der Regen blieb aus. Unser Mais wächst in kleinen Kolben an kurzen kümmerlichen Stengeln, auf sandigen Feldern und an steinigen Hängen, er braucht nicht viel Wasser. Aber ein wenig Regen muß schon fallen, damit er wachsen kann. Es kam vor, daß die Tänze der Niman-Kachinas ohne Erfolg blieben. Sie bringen sonst im Juli die letzte Feuchtigkeit, die Mais und Gemüse zum Reifen brauchen. Und oft war es zu spät, wenn es erst nach den Tänzen der Gabelböcke und der Schlangen geregnet hat.

In einem Jahr war ich besonders hungrig, als die Kachinas zu uns ins Dorf kamen, um Abschied zu nehmen.

Bei Sonnenaufgang hatte ich gesehen, wie sie, den steilen Weg heraufkommend, auf unserer Mesa erschienen waren, um zu tanzen. Später, bevor Vater Sonne seinen höchsten Stand erreicht hatte, tanzten sie noch einmal. Und dann war später Nachmittag. Ich war noch klein und kauerte zwischen meiner Mutter und meiner großen Schwester auf dem staubbedeckten Lehmboden und horchte auf die klingenden Schritte, die langsam näherkamen. Links, rechts, links, rechts.

Auf dem Platz drängten sich die Menschen. Auch auf den Dächern der steinernen Häuser, die sich terrassenförmig übereinander erheben, warteten sie.

Und da waren sie! Ich bekam eine Gänsehaut vor Freude, als die prächtigen Geister, die ich geliebt hatte, seit ich zurückdenken konnte, auf den Platz geschritten kamen, in den Armen die ersten Stengel von süßem Mais, frisch aus den Gärten, schöne frühe Melonen und rote Maisfladen, soviel sie nur tragen konnten. Aber auch Pfeile und Bogen, Flechtteller und Kachina-Puppen. Das alles legten sie im Mittelpunkt des Platzes auf den Boden. Mein Herz klopfte, als ich sah, wie viel es war. Und mein Magen knurrte. Wie süß würde der junge Mais sein. Und die Melonen. Und dann die knusprigen Brotfladen.
Während die Kachinas tanzten, tiefe Stimmen die alten Lieder sangen und die Kachin-manas mit ihren Kürbisschalen, gekerbten Stäben und Schulterblattknochen ihre schnarrende Musik machten, mußte ich immer wieder die Geschenke anschauen. Aber als das Tanzen aufhörte, bekam ich plötzlich Angst. Es waren so unendlich viele Menschen da, und alle wollten etwas abbekommen. Was war, wenn die Kachinas nicht genug mitgebracht hatten? Wenn ich mich umsonst gefreut hatte und mit leeren Händen nach Hause gehen mußte?
Die Geister begannen ihre Gaben zu verteilen. Ich schob mich nach vorne, schüchtern, weil ich nicht gierig sein wollte. Dann blieb ich erwartungsvoll stehen. Aber keiner schien mich zu bemerken. Immer mehr Geschenke wurden verteilt, immer mehr Menschen bekamen etwas, und mir schien, daß ich bald die einzige sein würde, die nichts hatte. Wenn ich doch nur größer wäre, dachte ich.
Und dann, endlich, sah einer von den Kachinas zu mir her. Es war ein kleiner. Nicht größer als mein Vater. Und wirklich, er kam zu mir, in den Händen eine schöne, runde Melone. Die hielt er mir hin. Ich nahm

sie in die Arme und drückte sie an mich, fühlte ihre Kühle, freute mich an ihrer Größe, dachte an ihre Süße und liebte die Kachinas von ganzem Herzen.
An jenem Tag schien es mir, als hätte ich auf der ganzen Welt nichts lieber als diese übernatürlichen Wesen, die uns am Abend verlassen und zurückkehren sollten zu ihren Bergen. Ich traute mich nicht, meiner Mutter zu sagen, wie schwer mir der Abschied wurde. Ich hatte Angst, daß sie mich zurechtweisen würde. Und ich wußte selber, daß es so sein mußte.
Wenn aber die Kachinas nicht bei uns bleiben können, ging es mir durch den Kopf, warum kann dann nicht ich bei den Kachinas sein?
In der fernen Zeit, als wir Menschen aus der unteren Welt in diese Welt aufgestiegen sind, haben die Kachinas das ganze Jahr unter uns gelebt, Regen gebracht, uns geführt auf langen Wanderungen. Sie haben sogar die Gestalt von Menschen angenommen, und von denen stammt der Kachina-Klan.
Mit den Geistern wollte ich leben, dort, wo es immer viel zu essen gibt. Es muß einen Weg geben, dachte ich, ihnen zu ihrem Wohnort zu folgen. Ich wußte wohl, daß noch niemand es versucht hatte, aber meine Sehnsucht war so groß, und ich beschloß, es zu wagen. Ich war eine Tochter der Kachinas, weil mein Vater zum Kachina-Klan gehörte, wie konnten sie mich da zurückweisen? Gegen Abend kamen die Kachinas zum letztenmal heraus. Das Dorf war von Menschen überfüllt.
Die Kachin-manas knieten nieder, setzten ihren Stab auf die Kürbisschale und begannen, mit dem Knochen darüberzustreichen. Noch einmal tanzten die wunderbaren Geister. Noch einmal wurden sie mit Wasser und Maismehl besprengt. Und die ganze Zeit ging mir mein Plan im Kopf herum.

Die Schatten waren schon lang geworden.
Und dann war es soweit, daß der Kachina-Vater sich von den Geistern verabschiedete.
«Es ist nun Zeit für euch, nach Hause zu gehen», sagte er. «Nehmt unsere Gebete mit euch, die nicht nur für unser Volk und die Menschen überall gelten sollen, sondern auch für die Tiere, die Vögel und Insekten und für die wachsenden Wesen, die den grünen Teppich unserer Erde bilden. Tragt unsere Botschaft zu allen vier Enden der Welt, damit alles Leben durch Wasser eine Erneuerung erfahren möge. Ich bin glücklich, daß ich heute ein wenig für euch sorgen konnte. Macht euch mit dankbarem Herzen und glücklichen Gedanken auf den Weg.»
Der Kachina-Führer schüttelte seine Rassel. Das hieß: Wir haben die Botschaft angenommen und werden sie weitergeben.
Als die Leute aus Oraibi und die Besucher aus den andern Dörfern begannen, Fichtenzweige aus den Kleidern der Kachinas zu zupfen, lief ich schnell weg, rannte die Straße entlang zu unserm Haus und kletterte atemlos aufs Dach.
Es war die Zeit des Sonnenuntergangs. Der westliche Himmel strahlte in roten und gelben Farben. Keine einzige Wolke war zu sehen, aber ich wußte, daß sie kommen würden. Dafür hatten die Kachinas getanzt. Und die Wolken hatten es gehört in der Ferne. Mein Herz klopfte, und obwohl ich ganz still dastand, war mir, als bewegte sich mein ganzer Körper im Rhythmus des Tanzes. In meinen Füßen waren die Schritte, in meinen Ohren das kehlige Singen der Kachinas.
Meine Melone an mich gedrückt, sah ich zu, wie die Geister das Dorf verließen. In einer langen Reihe gingen sie über die Mesa und verschwanden einer nach dem andern dort, wo sie zu Ende war. Wie sie

den Felsenpfad ins Tal hinuntergingen, konnte ich von unserm Haus aus nicht sehen, aber bald mußten sie unten im Tal wieder auftauchen.
Lange Zeit schaute ich und wartete auf diesen Augenblick, denn dann war es an der Zeit, mich auf den Weg zu machen. In einem vorsichtigen Abstand wollte ich hinter ihnen hergehen, nicht zu weit hinter ihnen, um sie nicht aus den Augen zu verlieren, aber auch nicht zu nah, denn sie durften mich nicht entdecken auf ihrer langen Wanderung.
Ich wartete und wartete.
Warum gingen sie so langsam?
Das goldene Licht wurde rot, und sie waren immer noch nicht zu sehen.
Vielleicht gehen sie gar nicht zu Fuß, dachte ich. Fliegen in Taweyahs. Verwandeln sich in Vögel. In Schmetterlinge. Es ist ja auch sehr weit. Mehrere Tagereisen. Oder sie machen sich unsichtbar. Und wie soll ich ihnen dann folgen?
Mutter und meine Schwester kamen nach Hause, in den Händen magische Fichtenzweige, die sie schweigend einpflanzten.
Das rote Licht verblaßte. Und immer noch war das Tal leer. Dann begann die Ebene grau und undurchsichtig zu werden.
Widerwillig gab ich die Wache auf.
Das Tanzen und Singen war noch in mir, als ich über die Leiter in unsern Wohnraum hinunterstieg.
Aber meinen Plan gab ich nicht auf. Im nächsten Jahr muß ich es anders anfangen, dachte ich, klüger. Ich muß gleich hinter ihnen hergehen, wenn sie uns verlassen. Und dann, wenn sie sich verwandeln, muß ich mir ein Herz fassen, vor sie hintreten und sie bitten, mich mitzunehmen. Vielleicht tun sie es. Sie haben ein gutes Herz.

Dann kamen mir Zweifel, ob sie sich wirklich verwandelten. Nein, dachte ich, es ist anders. Sie haben sich für menschliche Augen unsichtbar gemacht. Trauer überfiel mich, als ich begriff, was das bedeutete. Sie wollen nicht, daß wir ihnen folgen. Sie wollen, daß wir hierbleiben und den Herbst zu Ende bringen. Daß wir im Winter mit neuen Zeremonien das neue Jahr beginnen. Daß wir unser Leben leben. Daß wir dankbar sind, wenn wir genug zu essen haben, daß wir den Hunger ertragen, wenn nicht genug da ist, und dem Schöpfer doch danken für alles, was wir haben. Und als ich das dachte, wurde ich sehr glücklich beim Gedanken daran, daß die Kachinas wenigstens für eine Weile unter meinem Volk herumgegangen waren. Und nun haben sie ihre schönen Gestalten unsichtbar und ihren Gesang unhörbar gemacht und wandern zu den San-Francisco-Bergen.

So dachte ich. Damals war ich noch nicht in den Kachina-Kult eingeweiht und konnte nicht wissen, daß die Tänzer Menschen waren. Daß sie unten am Kliff ihre Kostüme abgelegt und dann das Dorf aus einer andern Richtung wieder betreten hatten. Und ich wußte nicht, daß mein Vater einer von ihnen war. Jetzt weiß ich es.

Und noch viel mehr. Es sind nicht nur die neuen selbstgenähten Kleider und das selbstverdiente Geld, das ich aus Kalifornien mitbringe, sondern auch all das, was ich in der Schule der Weißen gelernt habe. Vier Jahre sind eine lange Zeit. Und doch, wenn ich jetzt nach Hause komme, wird dort alles so sein, wie ich es in Erinnerung habe.

Nein, nicht alles. Ich werde meine neue Schwester sehen, die in der Zwischenzeit geboren wurde. Mein älterer Bruder, der so viele Jahre krank war, wird nicht mehr auf seinem Lager am Herd liegen. Er ist in das

Land des Geistes eingegangen. Meine Eltern sind vom Kliff hinunter ins Tal gezogen. Und nördlich von Oraibi ist eine neue Missionsstation gebaut worden. All das weiß ich aus den Briefen, die der Missionar für meinen Vater geschrieben hat. Und viele von meinen früheren Freundinnen haben inzwischen geheiratet. Sie haben Kinder und liegen den halben Tag auf den Knien, um den Mais für ihre Familien zu mahlen.
Daran mag ich nicht denken.
Aber die Kachinas werden tanzen wie in jedem Jahr. Die Männer werden ihre Schafe und Esel versorgen, frühmorgens mit ihren Hacken zu den Feldern wandern. Bao-hai! Bao-hai-hiii! Und das Echo wird ihre Rufe zurückwerfen. Sie werden beten und in der brennenden Julisonne ihren Mais pflegen, während die Frauen sich die Krüge umhängen und das Wasser von der Quelle ins Dorf hinaufschleppen.

Vier Jahre lang bin ich satt gewesen, in Kalifornien. Es gab Orangen, Kartoffeln, Gemüse und Reis. Manchmal gab es Fleisch. Und jetzt fahre ich nach Oraibi, wo der Vorrat spärlich und der Hunger groß sein wird wie in jenem Jahr, als ich den Kachinas folgen wollte.
Die Tänze hatten keinen Regen gebracht. Die Erwachsenen glaubten, daß bei den geheimen Zeremonien unter der Erde Fehler vorgekommen waren. Jedenfalls begann der Mais zu vertrocknen, bevor er ausreifen konnte. Die Speicher waren fast leer.
Die Sonne brannte vom Himmel, und wir Kinder spielten im Schatten der Steinhäuser mit unsern Puppen. Sie trugen im Sommer keine Kleider, weil es so heiß war. Und wir trugen auch keine.
«Die Puppenkinder haben Hunger», sagte meine Freundin. Dann füllten wir unsere Tonscherben mit

feinem Sand und ein paar Kieseln, damit auch Fleisch dabei war, und gaben den Kindern zu essen.
Ich weiß noch, wie ich aufsprang, mir den Staub abklopfte und sagte: «Ich hab' auch Hunger. Wollen wir Betteln spielen?»
Ich führte sie zu einem Haus, von dem ich wußte, daß sie dort Melonen hatten. Dann begannen wir zu tanzen. Und dazu sangen wir das Bettellied, immer wieder, bis die Mutter des Hauses in der Tür erschien mit einem Korb, in dem sie kleine Melonen hatte, die eigens für die Kinder gesammelt werden. Und sie legte eine kühle Melone in unsere ausgestreckten Hände. Für jeden eine. Kichernd vor Freude rannten wir mit unsern Geschenken zum Rand der Mesa, setzten uns auf einen flachen Felsen und hauchten auf unsere Früchte. Dazu sagten wir: «Ah-n-nu-u», damit die Melonen reif und süß wären.
Dann aßen wir sie auf. Sehr langsam. Jeder Bissen war wunderbar.
Aber es dauerte nicht lange, bis uns wieder heiß war. An solchen Tagen bringt nicht einmal die Dunkelheit Erleichterung. Im letzten Licht verglichen wir die Muster auf unsern Tonscherben. Doch ich konnte es nicht lange aushalten. Ich war immer die erste, die ungeduldig wurde.
«Kommt alle mit», sagte ich. «Uns abkühlen lassen!»
«Oh-i, oh-i», riefen die andern und standen auf.
Den Regentanz wollten wir tanzen.
Wasser war etwas Kostbares. Im Sommer durfte man nicht zuviel aus der Quelle herausschöpfen, wenn der Vorrat reichen sollte. Aber ich wußte, daß meine Großmutter mich sehr lieb hatte und ihr weniges Wasser mit mir teilen würde. So ging ich zu ihrem Haus, und alle meine Freundinnen kamen hinter mir her. «Kommt, kleine Regentropfen», sangen wir.

«Kommt, kleine Regentropfen,
Strömt herab auf uns,
Anoshka-eh. Anoshka-eh.
Wasser, ström auf uns herab.»

Vor dem Haus meiner Großmutter, das oben auf dem Hügel lag, begannen wir zu tanzen, stampften mit den Füßen, drehten uns und sangen dazu, bis das Lied fertig war. «Anoshka-eh, anoshka-eh.» Keine von uns wußte, was die Worte hießen. So alt waren sie. Die nackten Rücken zur Tür gewendet, vornübergebeugt, die Arme erwartungsvoll um uns geschlungen, so stellten wir uns auf. Und dann schauderten wir vor Freude, wenn Großmutter aus der Tür trat und mit ihren Fingern das kühle Wasser auf unsere heiße Haut tröpfelte.

Es war ein schlimmes Jahr, aber es war nicht das schlimmste. Ein wenig Gemüse war immerhin gewachsen, und die Quelle war nicht ganz leer.

Ich hatte auch eine Zeit erlebt, in der überhaupt nichts in den Speichern war. Der Herbst ging vorbei. Die Tage wurden kälter, und die Not wurde größer.

Die Leute kratzten in Abfallhaufen herum auf der Suche nach etwas Eßbarem. Manchmal fand man ein paar Maiskörner, die in besseren Zeiten weggeworfen worden waren. Nie werde ich vergessen, wie traurig meine Mutter war, weil sie uns oft nichts zu essen geben konnte. Und es tat weh zu sehen, daß sie nicht mit uns aß, wenn etwas da war. Aber sie ließ sich nichts anmerken. Tagsüber gingen wir mit ihr durch die Wüste und hofften, noch ein paar Körner oder trockene Beeren zu finden. In der Nacht hörte ich meinen kleinen Bruder weinen, weil er nicht schlafen konnte. Ich hörte das Atmen meiner Mutter. In der Dunkelheit sah ich, wie sie sich vom Lager erhob und

hinausging. Ich wußte, daß sie zum Rand der Mesa ging und zu jenem Berg hinüberstarrte, der vereinzelt in der Ebene steht. Rastplatz der Seele wurde er genannt. Dort holten sich die Menschen Trost, die sich nach Erlösung von ihrem Elend sehnten. Sie blieb sehr lange fort, und ich wartete auf sie. Mit der Zeit bekam ich Angst, daß sie nie mehr zurückkommen würde.
Manche Leute im Dorf sagten, sie hätten gesehen, wie Massau-u, der Gott des Todes und des Feuers, seine Runde durchs Dorf machte. Ich wußte, daß meine Großmutter ihn sehen konnte, den wilden, zerstörerischen Massau-u. Wie der Tod selber konnte er das Dorf besuchen, wann er wollte, sogar im Monat Dezember, der Ka-muya heißt, der stille Mond, oder wie manche sagen: der Mond des tropfenden Blutes, wenn die Erde heilig ist. Mutter, dachte ich, ob sie ihm begegnet, dem Tod, wenn sie in der Nacht allein fortgeht?
Aber dann trat sie leise wieder zur Tür herein.
Ihr Gesicht war ernst und ergeben.
«Mutter.»
«Ich will einen Schluck Wasser trinken», seufzte sie. «Das wird mich wieder schwer machen.» Ich sah zu, wie sie trank. Dann schaute sie mich an und gab mir auch einen Schluck.
Es ist wahr, dachte ich. Ich werde schwer. Jetzt kann ich schlafen.
«Asquali», sagte ich, «danke», als Mutter sich neben uns auf den Fellen ausstreckte.
Ich schlief sofort ein.
Und am Morgen, bei Sonnenaufgang, als wir aufstanden, um am Ostrand der Mesa zu beten, war der Hunger wieder da.

Mit bitteren Gefühlen denke ich daran, wenn ich jetzt im Zug sitze, der unerbittlich nach Osten fährt und mich mit einer Geschwindigkeit, von der ich als Kind nicht einmal geträumt habe, dorthin zurückbringt, wo der Boden so karg, das Wasser so spärlich und die Arbeit so schwer ist.
Um mich zu trösten, nehme ich einen von den Äpfeln, die ich in meiner Tasche habe. Ein schöner großer praller Apfel ist es, ganz anders als die, die auf unsern Bäumen in der Wüste wachsen.
Und doch, wie ich in diesen Apfel vom Apfelbaum des weißen Mannes hineinbeiße, fühle ich plötzlich die Äpfel der Kindheit in meiner Hand, und ihr Geschmack breitet sich auf meiner Zunge aus. Wie ist es möglich, daß ich als Kind so glücklich war? Ich kann das Glück wieder fühlen, diese tiefe, unerschütterliche Sicherheit, die es nur in der Wüste gibt, auf den Mesas, bei diesen Menschen, zu Hause. Voller Sehnsucht denke ich daran. Und ich will dieses Glück zurückhaben. Es wird sein wie früher. Aber ich kann nicht mehr leben wie das Kind, das ich einmal war. Ich bin nicht nur älter, ich bin anders geworden. Ich bin an andere Kleider und an anderes Essen gewöhnt. Ich habe in einem Bett geschlafen, auf einem Stuhl gesessen und von einem Tisch gegessen, aus Tellern, mit Messer und Gabel. Wenn ich daran denke, daß ich wieder am Boden sitzen und die Suppe mit der hohlen Hand aus dem irdenen Kochtopf schöpfen muß, dann schüttelt es mich. Nein, sage ich. Ich will es nicht.
Jetzt fahren wir in Flagstaff ein. Rasselnd und pfeifend und zischend kommt der Zug zum Stehen. Dann schweigt er. Die Frau mit dem Kind steigt aus. Neugierig hat es den Kopf zu mir zurückgewendet. Beladen mit Koffern, Kisten, Waren hasten draußen die Menschen vorbei. Vor meinen Augen nehmen Reisen-

de Abschied von denen, die dableiben. Sie schütteln Hände, sie umarmen einander, sie küssen sich. Ich muß lachen. Wenn das meine Mutter sehen könnte, denke ich. Sie wäre entsetzt. Kein Mensch tut so etwas bei uns.

«Sind das die Menschen, zu denen du gehen willst, Polingaysi?» würde sie sagen. Oder sie würde es denken.

Und was soll ich dann antworten?

«Orangen! Bananen! Orangen! Bananen!»
Ein kleiner krummer Mann mit einem Korb vor dem Bauch geht am Zug entlang. Die Reisenden reichen Geld hinaus, und er gibt ihnen Früchte.
«Orangen! Bananen!!»
Nein, ich will keine Orangen. Auch keine Bananen. Ich habe Äpfel. Und ich will mein Geld sparen.
Seine Stimme ist rauh. Laut ist sie, aber sie klingt nicht.
«Ihr Bewohner des Nordens, erhebt euch; ihr Bewohner des Westens, erhebt euch; ihr Bewohner des Südens, erhebt euch; ihr Bewohner des Ostens, erhebt euch!»
Das war die klare Stimme des Dorfausrufers, die sich über die Mesa ausbreitete. Ich sehe seine Perlenschnüre vor mir und seine Samtgamaschen, die ihm bis zum Knie reichten. Es war August, und wir warteten immer noch auf den Regen. Gehorsam kamen die Leute aus ihren Häusern, um auf den gestuften Dächern zu stehen und seine Worte zu hören. Still und beklommen standen sie da. Ich klammerte mich an meine Mutter. Jedes seiner Worte gab mir einen Stich ins Herz.
«In sechzehn Tagen werden die Leute vom Schlangen-Klan ihre tapferen, schönen Herzen geben», sang der Ausrufer. «Von jetzt an soll niemand Zorn empfinden über einen andern. Mit Freude und Hoffnung laßt uns vorwärtsgehen!»
Niemand durfte einen bösen Gedanken im Herzen tragen, wenn die Zeremonie gelingen und noch einmal Regen herbeiführen sollte. Wir alle schauderten, wenn wir in den Tagen, die nun kamen, die Schlangenkiva sahen. Oben an der Leiter, die aus diesem unterirdi-

schen Raum herausragte, war das Zeichen aus rotgefärbtem Haar befestigt, daneben hing das Fell eines Stinktiers, und rundherum war eine feine Linie aus Maismehl gezogen, die nur von den Mitgliedern des Schlangenbundes überschritten werden durfte. Aber auch ohne die Linie hätten wir einen Bogen um den Ort gemacht, wo sich die Schlangenpriester versammelten und ihrer geheimnisvollen, gefährlichen Pflicht nachkamen.

An einem dieser Tage ging ich mit meinen Brüdern ins Tal hinunter zu unserm Garten. Die Pfirsiche reiften, aber die Melonen wollten nicht wachsen. Sie brauchten Regen. Während ich meinen kleinen Wigoro mit Wasser füllte, gingen die Brüder mit Pfeilen und Bogen hinaus in die Einöde, um Kaninchen zu jagen. Langsam folgte ich ihnen. Dann stellte ich meinen Krug mit dem kostbaren Wasser in den Schatten eines Strauchs und sah ihnen zu, wie sie zwischen dem niedrigen Gestrüpp, den Felsbrocken und Kakteen umherhuschten. Die Sonne heizte den Boden, der hart war vor Trockenheit und sich nach Regen sehnte.

Plötzlich schrie einer von den Jungen. «Lauf! Lauf! Lauf!»

Ich blickte auf, und Angst durchfuhr mich.

Schlangenpriester! Ganz in der Nähe sah ich sie, auf der Suche nach Schlangen, die sie in ihre Kiva bringen wollten. Meine Brüder liefen auf die schützenden Felsen zu. Ich griff meinen Wigoro, drückte ihn an mich und rannte los, rannte, so schnell es ging, konnte aber meinen Brüdern nicht folgen. Und ich mußte auf meinen Krug aufpassen. Da stolperte ich und fiel zu Boden. Mein kostbarer Wigoro ging in Stücke und goß das Wasser in den durstigen Sand.

Einmal sprang ich noch auf, dann kauerte ich mich hinter einen dürren Strauch. Ohne lange nachzuden-

ken, raffte ich mein Kleid zusammen, indem ich die Decke fest um meine zitternden Beine zog. Ich wußte, was ich tun mußte, wenn sich die Schlangenpriester näherten. Ich mußte mein Kleid hochziehen und die Beine entblößen. Dann würden sie es nicht wagen, mich zu berühren. So hatte mir meine Mutter gesagt, denn die Männer des Schlangen-Klans durften während der Vorbereitungszeit und vier Tage nach dem Tanz keine Frauen berühren.
Aber was war mit meinen Brüdern? Sie waren in größerer Gefahr als ich, denn wenn ein Schlangenpriester einen von ihnen berührte und ihm eine Schlange um den Hals legte, mußte er in die Schlangenbruderschaft eintreten. Sogleich wurde der Junge eingeweiht, und dann mußte er alle zwei Jahre an ihren Zeremonien teilnehmen. Sehr vorsichtig schaute ich mich nach ihnen um. Aber sie waren nirgends mehr zu entdecken.
Durch das kahle Gestrüpp sah ich die Männer. Manche von ihnen waren noch sehr jung. Fast Kinder. Alle trugen sie einen Wasserkrug, einen kleinen Beutel und zwei zusammengebundene Federn. Plötzlich klang ein Ruf über die Steppe. Die Blicke am Boden, liefen sie zu mir her. Dann blieben sie stehen. Einer von den jungen trat vor. Ich sah gut, wie er Maismehl und Erde ausstreute. Ich zitterte. Dann beugte er sich vor und schwang besänftigend seine beiden großen Federn hin und her.
Onkel Sinoyvas Worte kamen mir in den Sinn. «Die Schlangen fürchten sich nicht vor dem Menschen, und sie sind auch nicht zornig auf ihn. Sie rollen sich nur zusammen, weil sie sehen, was der Mensch im Herzen trägt. Deshalb muß man ein gutes Herz bewahren und sich nicht fürchten.»
Aber ich fürchtete mich doch.

Der Junge hob die Schlange auf. Als sie sich sträubte, hielt er sie mit der linken Hand hinter dem Kopf fest, spuckte in seine Rechte und strich damit sanft über den ganzen Schlangenkörper. Da ließ sie sich lose hängen wie ein Stück Seil.

Und dann gingen die Schlangenpriester weiter, weg von mir, hinaus in die Einöde, in der noch zahllose Schlangen wohnten, kleine und große, ungefährliche Läufer und Taschenrattenschlangen, aber auch Klapperschlangen, Sidewinder und die große Stierschlange. Mich schauderte, wenn ich daran dachte, wie die Männer mit diesen Tieren tanzen würden.

Dann erst fiel mir mein Wigoro ein. Schluchzend sammelte ich seine Scherben, knüpfte sie in meinen Schal und trug sie nach Hause, während meine Brüder wieder Kaninchen jagten.

Meine Tränen waren noch nicht getrocknet, als ich zu Hause die Scherben auswickelte.

«Mein Wigoro», sagte ich. «Mein schöner Wigoro.»

Mutter tröstete mich. Sie kannte die Angst, die ich ausgestanden hatte. Sanft sagte sie, daß ich einen neuen Krug bekommen würde.

Und dann kamen die Wettläufe. Nachdem wir alle bei Sonnenaufgang gebetet hatten, blieben wir an den Rändern der Felswände stehen. Viele stiegen auf die Dächer, um zuzuschauen. Unten im Tal warteten geduldig die Priester, dunkelbraun und aschgrau bemalt. Es dauerte lange, bis am Horizont die Läufer auftauchten. Zuerst sah man nur die Staubwolke. Sehr langsam kamen sie näher. Ein alter Mann begann vor ihnen herzutrotten. Nur mit einem Lendenschurz war er bekleidet, und sein weißes Haar hing lose herab. Einen Strauß von Gebetsstäben und einen Krug mit Wasser trug er. Die gab er dem ersten Läufer, der bei ihm ankam und nachher mit unglaublicher Geschwin-

digkeit weiterrannte. Ein Zittern der Erregung ging durch die Menge. Es war ein Tag voller Aufregung, Ausgelassenheit und Gelächter, während die glühende Augustsonne über den Himmel zog.
Und abends auf dem Platz dann die Gabelbocktänze. Viele schauten nicht zu, wie die Männer mit den Ranken tanzten. Aber wir hörten das donnernde Geräusch, als die wilden Gabelböcke rannten, die die Priester eingefangen hatten. Die Schwingungen dieses Donners, das wußten wir, werden die Wolken so aufstören, daß sie aus ihren Heiligtümern kommen. Die Gabelböcke ziehen die Wolken herbei. Aber erst die mächtige Stierschlange hat die Kraft, das Leben aus den Wolken herauszuziehen. Der Schlangentanz am nächsten Tag würde den Regen bringen.

Als wir in der Morgendämmerung hinausgingen, um unser Gebet zu verrichten, stand eine einzelne zarte Wolke am Himmel, die erste von denen, die noch kommen sollten.
Auf dem Platz vor der Schlangenkiva war das Sipápuni, jenes kleine Loch, durch das unser Volk aus der Unterwelt aufgestiegen war. Man hatte es mit einer Holzbohle zugedeckt. Und dahinter war das Schattenhaus aufgebaut, eine Laube aus grünen Ästen. Ich konnte nur mit Schaudern hinsehen, denn es hieß, daß dorthin heute, am sechzehnten Tag, die Schlangen getragen worden seien.
Viele waren von den andern Dörfern heraufgekommen und warteten geduldig auf den Lehmstraßen und Terrassen, während die Sonne vom Himmel brannte. Als sie von ihrer Höhe wieder herabstieg, kam ein Wind auf, jagte Staubwolken und Sand über die Dächer, über den Platz, und die Menschen wurden unruhig. Da sah ich, wie ein ganz kleines Mädchen sich von den

andern entfernte und allein über den Platz lief. Neugierig ging es zum Schattenhaus und bückte sich, als wollte es hineinkriechen. Niemand schien darauf zu achten. Ich stellte mir vor, wie es im nächsten Augenblick zwischen den Schlangen herumkroch, wenn wirklich Schlangen in der Laube waren. Ich hielt den Atem an. Dann kam ganz ruhig ein alter Mann, nahm das Kind bei der Hand und führte es weg.

In diesem Augenblick legte sich ein Schatten auf den Platz. Die heiße Nachmittagssonne war von schwarzen Sturmwolken zugedeckt, die vor dem Wind nach Norden zogen.

Besorgnis erschien auf den Gesichtern. War das der Regen, den wir brauchten? Und konnte der Tanz richtig getanzt werden, wenn es ein Gewitter gab? Nachdem das Niman-Kachina in diesem Jahr keinen Regen gebracht hatte, weil es in einigen Dörfern Nachlässigkeiten gegeben hatte, war es um so wichtiger, daß jetzt keine Fehler gemacht wurden. Dem Mais ging es nicht gut. Wenn es nicht bald regnete, würde die Ernte ausfallen. Es wurde kälter. Der Wind kam in Stößen. Einzelne eiskalte Regentropfen wurden herübergetrieben. Die Menschen zogen ihre Decken fester um sich und schauten auf zu den schwarzen Wolken. Zum Bersten gefüllt mit Regen, hingen sie tief am Himmel. Aber sie zogen am Dorf vorbei. Frierend drängten wir uns aneinander und warteten, bis die Wolken über der Wüste nach Westen schwenkten und den Regen mit sich nahmen.

Und dann kamen sie.

Zwei Reihen von Gestalten, zwölf Gabelböcke grau und weiß, zwölf Schlangen rötlichbraun und schwarz. Ohne Masken, mit nackten, bemalten Oberkörpern. Schweigend umkreisten sie den Platz, viermal, vorne der unheimliche Schlangenführer, am Schluß ein kleiner Junge. Eine fremdartige Stille hatte sich ausgebreitet. Nur das Rasseln der Flaschenkürbisse an ihren Beinen.

Und wie ein tiefes Donnergrollen aus der Unterwelt hallte es über den Platz, wenn sie, einer nach dem andern, mit dem rechten Fuß auf das klingende Brett stampften, mit dem das Loch zugedeckt war, das uns mit der unteren Welt verbindet. Es folgte ein Donner wie ein fernes Echo aus den Sturmwolken. Starr standen die Menschen. Denn das war der Augenblick des größten Wunders. Dieser Klang, der denen, die unten wohnen, versichert, daß die, welche oben wohnen, die Zeremonie so ausführen, wie es sein muß. Ein Klang so einzigartig, so kraftvoll, daß man ihn nie mehr vergißt.

Die Gabelböcke begannen, sich hin- und herzuwiegen, sangen leise und schüttelten ihre Rasseln, als stiege Kraft in ihnen auf. Dann streckten sie sich und erhoben ihre Stimmen.

In diesem Augenblick richtete sich der Schlangenhäuptling auf, der bis dahin vor dem Schattenhaus gekniet hatte. In seinem Mund hielt er eine Schlange. Unterhalb ihres Kopfes hielt er sie zwischen den Zähnen, sanft, aber sicher. Meine Hände wurden feucht, mein Herz bebte, als ich das sah. Mit beiden Händen hielt er ihren Körper vor seinem Leib ausgebreitet. Ein zweiter Priester war bei ihm und streichelte das Tier begütigend mit einer gefiederten Schlangengeißel. So gingen sie ein paar Schritte. Sie tanzten. Und tanzend umschritten sie den ganzen Platz. Ich wagte kaum zu atmen. Sie aber tanzten mit den Schlangen, als wären es Kürbisranken. Als sie den Kreis vollendet hatten, legten sie die Schlange vor dem Schattenhaus sanft auf den Boden.

Ich starrte auf die Schlange. Drohend hatte sie sich

zusammengerollt. Daneben stand der Schlangeneinsammler und beobachtete sie regungslos. Langsam entrollte sie sich. Erst als sie begann, sich mit schnellen Bewegungen über den Platz zu schlängeln, nahm er sie mit einem Griff auf und hielt sie hoch, um uns zu zeigen, daß sie nicht entkommen war.
Die nächsten kamen, und nach und nach nahmen sie alle eine Schlange auf. Als letzter kam der kleine Junge. In vertrauensvoller Gelassenheit tanzte er seinen ersten Tanz. Eine mächtige Klapperschlange schmiegte ihren Kopf an seine Wange.
Die Tänzer bewegten sich langsam, in tiefer Versunkenheit. Tanzend umrundeten sie den Platz. Mit einer neuen Schlange tanzten sie weiter. Sehr still war es. Und die Muscheln an ihren Beinen riefen leise das Wasser an, ihre Mutter, daß sie kommen und die Erde wieder auffüllen möge. Wir lauschten und schauten, ohne zu sprechen, ohne Ungeduld und ohne zu merken, wie die Zeit verging. Die Dämmerung senkte sich. Der Himmel war von Wolken überzogen. Ein paar Regentropfen fielen auf uns.
Es war zu Ende.
Die letzte Schlange hatte ihren Tanz getanzt.
Neben dem Schattenhaus zogen die Männer einen Kreis aus Maismehl und legten alle Schlangen hinein. Dann ergriff jeder Schlangenpriester so viele Tiere, wie er nur tragen konnte. Zurück in die Wüste wurden sie gebracht, gesegnet und freigelassen.
Ich atmete leichter. Schweigsam gingen wir ins Haus, meine Mutter, ein paar Nachbarinnen und ich. Die Frauen saßen auf dem getünchten Boden. Dann begannen sie wieder zu reden.
«Mutter», sagte ich nach einer Weile, «warum muß unser Volk mit den Schlangen tanzen? Ist es nicht zu gefährlich?»

Brüsk drehte Mutter den Kopf zur Seite. Ich schämte mich, weil ich eine Frage gestellt hatte, über die sie nicht sprechen wollte. Aber nach einem Augenblick des Schweigens sagte Mutter:
«Ja, es ist nicht ungefährlich, meine Tochter. Aber wenn wir unsere Herzen rein halten, werden wir vor der Gefahr beschützt sein. Wir alle. Auch die Tänzer.»
«Was tun die Schlangen?»
«Schlangen wandern durch das Land. Sie bringen die Botschaft von der Erneuerung allen Lebens zu den vier Enden der Erde.»
Mein Kopf war noch voll von Fragen. Aber ich wußte, daß Mutter schon mehr gesagt hatte, als sie wollte. So schwieg ich.
Da begann eine Nachbarin zu erzählen. «Es gibt eine Legende über die Schlangenfrau und ihre Kinder», sagte sie.
«Psch!» Meine Mutter Sevenka, die vom Kojote-Klan war und viel wußte, brachte sie zum Schweigen. «Du bist unvorsichtig! Diese Geschichte darf nicht im Sommer erzählt werden. Hat deine Mutter dir das nicht gesagt? Erst im Winter ist es sicher, sie zu erzählen, wenn die kleinen Brüder unter der Erde sind und schlafen.»
Während sie sprach, waren ihre schwarzen Blicke in alle Winkel des Raums geschossen, als fürchte sie, irgendwo die Perlenaugen eines aufgerollten kleinen Bruders zu entdecken, die ihr aufgebracht entgegenstarrten.
In dieser Nacht lag ich wach auf meinem Lager. Ich hörte wieder die tiefe Stille auf dem Platz, und ich hörte das leise Rufen der Muscheln. Ich richtete mich auf und betete, daß es nicht umsonst gewesen sein sollte. Ich betete um Regen.
Und was ist, dachte ich, wenn doch einmal ein Priester

von einer Schlange gebissen wird? Wenn er einen Fehler macht oder wenn jemand im Dorf unreine Gedanken hat? Muß er dann sterben? Ich wußte, daß es gefährlich war. Aber ich wußte auch, daß die Leute sagten, bisher sei noch keiner von den Tänzern gestorben. Wenn ich groß bin, dachte ich, werde ich es erfahren. Aber das dauert noch lange.
Mit diesen Gedanken war ich eingeschlafen. Ich wurde sanft geweckt. Ein sehr feines Geräusch drang durch die Fensteröffnung zu uns herein. Er war es. Der Regen, nach dem wir uns gesehnt hatten, den wir brauchten, für den unser Volk alles getan und für den ich gebetet hatte. Von einem leichten Wind getrieben, rauschte er gegen die steinerne Mauer, auf unsere Straßen und Wege und Felsen und Gärten und Äcker und Weiden und auf die ganze weite trockene Wüste.
Asquali, dachte ich, als ich glücklich dalag und zuhörte. Wir werden zu essen haben.
Am andern Tag fiel ein schwerer, gleichmäßiger Regen.
Das Gemüse konnte wachsen. Der Mais konnte reif werden. Wir Kinder liefen nackt durch die rauschende Nässe und rutschten mit den Füßen über die aufgeweichten Wege. Wir waren glücklich. Kühles Wasser sammelte sich in den Vertiefungen der heißen roten Felsen. Manche von diesen Löchern waren so groß, daß richtige Schwimmbecken aus ihnen wurden.

Jetzt, wo mein Zug die Felder von Flagstaff hinter sich gelassen hat, jetzt sehe ich uns alle wieder vor mir, wie wir uns an diesen Wasserbecken versammelt haben.
Es war die Zeit, in der die reifen Pfirsiche an unsern Bäumen hingen, so saftig und süß, wie man sie sich nur wünschen konnte. Aber es war auch die Zeit, in der man fürchten mußte, daß ein paar Navajo geritten

kämen, die Früchte abrissen und mit sich fortschleppten. Wie oft hatten sie unsere Felder zerstört, wie oft hatten sie uns Mais und Melonen weggenommen und unsere Schafe, aber auch andere Tiere gestohlen, wenn sie nicht gut genug bewacht waren. Früher waren auch Mädchen entführt worden, Frauen und Kinder. So kam es, daß wir ständig in der Furcht vor diesen Überfällen lebten.

Wir Kinder nannten diese Männer, die auf schnellen Pferden kamen, nicht bei ihren richtigen Namen. Stirnen nannten wir sie, weil sie das Haar nach hinten bürsteten. Auf diese Weise sahen ihre Gesichter, die ohnehin schmaler waren als unsere, mit ihren bloßen Stirnen ganz eigentümlich lang aus. Und die «Stirnen» machten sich darüber lustig, wie wir unser Haar trugen, mit langen Ponyfransen.

Wenn der Regen nachgelassen hatte und wir wieder mit heißer Haut unter der Sonne umherliefen, spielten wir unser liebstes Spiel: Navajo-Überfall. Alle, die Navajo waren, rieben sich mit Schlamm ein, strichen die nassen Stirnhaare zurück und versteckten sich dann hinter den Felsen oder einem Gebüsch. Die Hopi warfen ein paar Pfirsiche ins Wasserbecken, stiegen hinein und planschten im Wasser herum, welches die Sonne schon erwärmt hatte. Aber wir waren auf der Hut. Wir hielten Ausschau nach den Feinden, die sich heranschleichen und unsere Pfirsiche stehlen wollten. Sobald wir auch nur eine Hand oder einen Fuß von ihnen sahen, stießen wir schrille Warnschreie aus.

«Stirnen! Stirnen!» kreischten wir. «Sie kommen! Sie wollen unsere Pfirsiche stehlen!»

Das war das Zeichen. Alle Stirnen kamen gerannt, scheuchten uns weg und schnappten so viele Pfirsiche, wie sie nur konnten. Und wir versuchten, sie zu fangen. Wenn wir einen hatten, dann brauchte er nur

unterzutauchen, damit der Schlamm abging, und dann seine Haare wieder nach vorn zu streichen, um sich in einen Hopi zu verwandeln und die Seite zu wechseln. Es war ein Jagen und Kämpfen und Lachen, daß wir am Ende atemlos keuchten, wenn alle Stirnen in Hopi verwandelt waren.
Ich setzte mich auf einen vom Wind glattgeschliffenen Stein, um meine Haut in den Strahlen der tiefstehenden Sonne zu trocknen. Sie waren noch warm. Über mir leuchtete das Kliff, unter mir lag ein leichter Hang von Schutt und Sand. Dann breitete sich die Ebene aus mit Obstgärten, sandigen Äckern und unfruchtbarem Land.
Aus der Ferne schaute ich den Männern zu, die mit ihren Hacken um jede einzelne Maispflanze herum das Unkraut abschnitten und so unter den Boden hackten, daß es aussah wie viele kleine Ameisenhügel.
«Onkel Sinoyva!»
Der Mann, dem ich zugeschaut hatte, war mein Onkel, den ich so liebte. Ich stand auf und lief zu ihm.
«Onkel Sinoyva!»
«Polingaysi», sagte er. «Mein liebes Kind.» Er richtete sich auf und stützte sich auf seine Hacke.
«Kann ich dir helfen?»
«Ich bin gleich fertig. Nur noch diese Reihe.»
Ich sah ihm zu und wunderte mich, daß er nicht müde schien, denn seine Arbeit war schwer.
«Schau, wie der Mais wächst! Und das Unkraut wächst auch.»
«Ja.»
Dann richtete er sich auf und nahm seine Hacke.
«Darf ich mit dir gehen?» sagte ich.
Onkel Sinoyva hatte es gern, wenn ich hinter ihm herging.
«Ich habe euer Geschrei gehört», sagte er lächelnd

und blieb stehen. «Navajo-Überfall. Das haben wir als Kinder auch schon gespielt.»
Schweigend gingen wir hintereinander her. Als wir an der Stelle angekommen waren, wo sich der Weg hinaufzuschlängeln beginnt, blieb er stehen. «Soll ich dir erzählen, wie es war vor vielen Jahren, als die Navajo in dieses Land gekommen sind?»
Ich wollte alles hören, was Onkel Sinoyva wußte.
Er setzte sich an einer Stelle, von wo wir einen guten Blick über das Land hatten.
«Aliksai!» So sagt man, wenn man eine Geschichte erzählen will.
«Oh, ho», antworten die Zuhörer.
«Es war zu einer Zeit, lange bevor der Großvater meines Großvaters gelebt hat. Ungefähr zu der Zeit, als die ersten weißen Männer von Süden gekommen sind. Da kamen fremde Menschen von Norden her. Zuerst war es nur einer. Er trug keine Waffen, hatte langes ungekämmtes Haar und war nur mit dem Fell eines wilden Tieres bekleidet. Er war hungrig. Später kamen ein paar Männer, Frauen und Kinder, die gleich angezogen waren, ebenfalls Hunger hatten und nicht wußten, wo sie bleiben sollten. Alle wurden freundlich aufgenommen. Sie konnten bei uns essen und wohnen. Dann zeigten wir ihnen, wie man Felder bestellt, Körbe macht und Baumwolle spinnt. Aber wie man Töpfe macht, das wollten sie nicht lernen, denn niemals aßen sie etwas, was in einem Topf gekocht war. Ihr Essen mußte über einem Feuer gebraten werden.
Noch etwas an ihnen war merkwürdig. Wenn wir im Winter am Feuer saßen und uns alles erzählten, was früher gewesen ist, dann hörten sie zu. Aber sie selber hatten nichts zu erzählen. Keine Geschichte über die Erschaffung der Welt, der Pflanzen, Tiere und Men-

schen. Sie erzählten nichts über ihren Aufstieg und nichts über ihre Wanderungen.»

Ungläubig hörte ich meinem Onkel zu. Menschen, die keine Geschichten erzählen? Gibt es das? dachte ich.

«Und noch etwas. Wenn sie aßen, dann hörten sie nicht eher auf, bis alles aufgegessen war. Zu Anfang konnten wir uns das erklären, weil sie so hungrig waren und beschwerliche Zeiten hinter sich hatten. Aber sie blieben bei dieser Gewohnheit, und das schien unsern Leuten ganz und gar unbegreiflich.

An unsern Zeremonien ließen wir sie nicht teilnehmen, aber sie schauten sehr genau zu, und bald fingen sie an, Gebetsstäbe zu machen wie wir und ein paar von unsern Ritualen nachzuahmen. Das sahen die Hopi mit Unbehagen. Denn so gern wir ihnen gezeigt hatten, wie man die Dinge macht, die zum täglichen Leben gehören, so unrecht schien es uns, wenn sie auch unsere Zeremonien übernahmen.

Je mehr Zeit verging, um so mehr von ihnen kamen. Ganze Horden erschienen jedes Jahr zur Erntezeit und lagerten auf dem Weg zur Hotevilla-Quelle. Tasavuh wurden sie genannt.»

«Tasavuh?» Das klang schrecklich.

«Ja. Die Kopfzerschmetterer. So hießen sie, weil es ihre Art war, einen gefangenen Feind zu töten, indem sie ihm mit einem Felsbrocken oder einem Steinhammer den Kopf einschlugen.»

So etwas hatte ich noch nie gehört.

«Es kamen auch andere Leute zur Erntezeit. Sie brachten Sachen zum Tauschen mit. Schöne Hirschfelle, Körbe oder Schöpflöffel aus den Hörnern von Bighornschafen. Dafür bekamen sie Mais und Bohnen, und wenn der Tauschhandel zu Ende war, gingen sie wieder weg. Bloß die Tasavuh blieben da, bis nichts mehr übrig war. Schließlich fingen sie an, den Mais

von den Halmen zu stehlen und sogar die Maishaufen, die zum Trocknen in der Sonne lagen. So kam es, daß sie zu unsern Feinden wurden. Tag und Nacht mußten wir unsere Häuser und unsere Felder bewachen. Und als die Tasavuh unsere Maisfelder niederbrannten und ein paar Männer töteten, haben wir keinen friedlichen Ausweg mehr gesehen.
Da weckte in der Nacht der Ausrufer die Menschen von Oraibi. Die Lagerfeuer der Tasavuh-Krieger brannten im Tal. Überall von Savatuk bis zur Sperberquelle. Sofort trieben wir die Schafe ins Dorf, stellten Wächter auf, und alle Männer bewaffneten sich. Mit einer Keule oder mit Pfeil und Bogen und mit ein paar dicken Lederhäuten geschützt, so hielten sie sich bereit für die Schlacht am Morgen. In der Dämmerung war es soweit. Aber der Häuptling befahl, die Bogen noch nicht zu spannen. Er wartete darauf, daß der Feind den ersten Pfeil abschoß und so die Verantwortung für das Blutvergießen auf sich lud.»
«Und dann?»
«Es geschah nichts. Den ganzen Morgen nicht. Sie haben nicht angegriffen. Dann aber stand eine Frau mit einem Speer auf und stürmte nach vorne. Zwei Tasavuh-Krieger folgten ihr und schützten sie mit ihren Schilden. So drangen sie gegen unsere Linien vor. Das war das Zeichen für unsern Häuptling, und er gab den Befehl zum Angriff. Ein Hopi schleuderte seine Wurfkeule. Sie prallte vom Schild des einen Mannes ab und traf ihn am Kopf. Er war tot. Dann begann die Schlacht, die bis zum Sonnenuntergang dauerte. Da waren die Tasavuh bis zur Korbklippe zurückgetrieben. Und wer weiß, ob wir es geschafft hätten, wenn nicht der junge Chiya vom Sand-Klan gewesen wäre mit seiner Kraft, seiner Ausdauer und seinem Mut.»

Chiya. Das war ein Name, der in vielen Geschichten vorkam, die ich schon als ganz kleines Mädchen gehört, aber nicht verstanden hatte.
«Immer wieder sprang er hinter den Felsen hervor mit seiner Keule und stürzte sich auf die Feinde. Einen nach dem andern hat er getötet. Es war, als ob er überall zugleich gewesen wäre.»
«Und dann konnte unser Volk wieder in Frieden leben?»
«Eine Weile schon. Aber es herrschte Trauer unter den Hopi. Am andern Morgen waren sie hinausgegangen, um nach den Toten zu sehen. Und der Anblick war so grauenerregend gewesen, daß sie von schrecklichen Träumen heimgesucht wurden. Chiya wurde krank von seinen Träumen und konnte erst nach langer Zeit geheilt werden. Wir sind ein Volk des Friedens und glauben nicht an den Krieg. Und nun waren wir gezwungen gewesen, so viele Menschen zu töten, um unser Leben zu schützen.»
«Sei nicht traurig», sagte ich. «Es ist so lange her.»
«Ja», antwortete er nach einer Weile. Aber er sagte es traurig.

Angell. Eine kleine Stadt. Ich sehe Frauen, die mit ihren Kindern aus den hölzernen Fassaden der Geschäfte treten, Frauen, die mit schleppenden Kleidern am Arm ihres Mannes gehen, Frauen in Fetzen. Möchte ich eine von ihnen sein? Leben, wie sie leben? Mit Möbeln, Vorhängen, Geschirr, eisernen Töpfen, der Bibel im Schrank; sonntags in die Kirche gehen, eine große Familie um einen Tisch versammeln im Licht der Petroleumlampe, das auf ihre kunstvoll frisierten Scheitel fällt?

Nicht mehr bei Sonnenaufgang am Rand des Kliffs stehen und beten? Ich schließe die Augen, seufze, atme langsam und tief, während der Takt des Wagens mich schaukelt.

Ich sehe ein winziges Wüstenkind mit kurzen Beinen, sehe, wie sein nackter brauner Körper die Dorfstraße hinaufrennt, wie seine verfilzten Haare fliegen. Es rennt zwischen Häusern durch, deren Räume sich in Terrassen übereinander erheben, zwischen den bröckelnden Mauern von schwerem Stein, vorbei an all den Menschen, die unermüdlich ihrer Arbeit nachgehen, vorbei an den Wänden mit ihren Fensterlöchern und Türöffnungen, an Vorsprüngen und Winkeln, Treppenstufen und baufälligen Holzleitern, denn in viele Häuser tritt man von oben ein, manchmal durchs Dach, und das Kind läuft an Vorratsspeichern vorbei, aufgescheuchte Hühner flattern davon, und weiter neben frisch geschlachtetem Fleisch, das an Holzstangen zum Dörren in der Sonne hängt, oder an sorgfältig zum Trocknen ausgebreiteten Maiskolben. Wenn es im Westen beim obersten Haus angekommen ist, setzt es sich in den Schatten, hebt eine Maishülse auf. Ich sehe, wie das Kind sie zusammenfaltet, mit seinen Zähnen ein Muster hineinbeißt, sie dann auseinanderfaltet und sein Bild gegen das Licht hält. Ich höre, wie das Kind singt.

«Hao, meine Mutter! Hao, mein Vater!» singt es. «Unser Mais wächst hoch, Maiskolben erscheinen, ayay, erscheinen, erscheinen, yaaa!»

Die Stimme klingt klar und kräftig durch die Mittagsstille.

Das bin ich.

Es war ein heißer Mittsommertag. Großmutters Haus stand oben auf dem Hügel. Das heißt, es war eigentlich kein Hügel gewesen, als dort die ersten Häuser gebaut wurden. Erst als die Menschen über den alt gewordenen Häusern immer neue errichteten, war mit den Jahren ein Hügel entstanden, der aus Mauerresten und Scherben von altem Geschirr bestand. Drei Stockwerke erhoben sich über mir. Zuerst das Erdgeschoß, dann das Stockwerk, in dem sie lebten, darüber der oberste Raum, der zum Speichern diente und im Sommer auch zum Schlafen, weil es dort luftiger war. Hier waren die Mahlsteine nebeneinander aufgereiht, grobkörnige und feinkörnige Matas. Hier wurden beim Maismahlen die alten Lieder gesungen. «Oh für ein Herz so rein wie die Pollen der Maisblüte», dachte ich. Und über diesem Raum das flache Dach mit seinem Kaminaufsatz.

In Wahrheit aber hatte Großmutters Haus vier Stockwerke. Ganz zuunterst, schon fast in der Erde war noch ein dunkler, geheimnisumwobener Raum, der niemals betreten wurde, der uralte Raum der Regenpriester. In ihm wohnte die Vergangenheit. Die Geister besuchten ihn.

Ich ging hinein ins Haus, um meiner Großmutter das Maisblatt mit dem Muster zu zeigen.

«Asquali», sagte sie und lächelte.
Das ist das schönste Wort, wenn man jemandem danken will.
Großmutter füllte den Mais, den sie schon zerkleinert hatte, in einen Krug, schüttete wieder Körner auf den groben Mahlstein und begann von neuem zu schroten.
Ich kletterte die Leiter hinunter auf die Straße. Und als ich dort hockte und spielte, hörte ich die Stimme meines Großvaters. Langsam kam er die Straße herauf, ein leises, heiliges Lied singend und mit einem schweren Bündel. Großmutter hatte, kaum daß sie ihn singen hörte, ihre Arbeit unterbrochen und war herausgekommen, um ihm entgegenzugehen. Großvater gab ihr das Bündel. Sorgsam nahm sie es auf den Arm, wiegte es und sang ihm ein Lied vor, während sie es in den Maisraum trug wie ein geliebtes Kind. Ich folgte ihr, sah, wie sie das Bündel auf den Boden legte, den Stoff aufwickelte, in dem es getragen worden war, und die winzigkleinen Maiskolben, die darin waren, offen hinlegte.
«Ich danke euch, meine Maisleute», sagte sie, indem sie die Kolben in einer ordentlichen Reihe auslegte. «Ihr seid von weit her gekommen, aber jetzt seid ihr zu Hause. Hier sollt ihr bleiben, und die Ernte soll auf euch ruhen, denn ihr wart der Anfang.»
«Großmutter», sagte ich, als sie wieder aufstand, «erzähl mir die Geschichte.» Ich kannte sie schon. Aber ich liebte Großmutter, wenn sie sie erzählte.
«Die Kachina-Leute», fing sie an, «die Vorfahren von unserm Kachina-Klan, lebten einst auf den Hügeln am Fuße der San-Francisco-Berge. Sie hatten die Maismutter mitgebracht aus dem Süden. Klein war sie damals, ein Kolben nicht größer als der Daumen eines Mannes. Und heute, wenn die Erntezeit kommt und die Maisleute von den Feldern hereingebracht

werden, sammeln wir alles, jede winzige unvollkommene Maisähre, die trockenen Blätter und die Stoppeln, um so die Maismutter zu ehren, die uns seit Vorzeiten ernährt hat. Denn die Maismutter ist ein Wesen wie unsere Mutter Erde. Und der Mais ist auch unser Leib, weil wir unser Fleisch aus seinem Fleisch aufbauen. Und wenn wir bei unsern Gebeten Maismehl opfern, so opfern wir auch einen Teil unseres eigenen Leibes.»

Großmutters dünner Leib drehte sich zu den Maiskolben um, als wollte er ihnen danken. «Du weißt», fuhr sie dann fort, «wie uns schon in der ersten Welt der Mais gegeben wurde. Und wie in der vierten Welt die Menschen unter den verschiedenen Größen und Farben wählen konnten.»

Wer den großen gelben Kolben wählte, bekam ein Leben im Überfluß geschenkt, das aber nur kurz währte. Der blaue Kolben bedeutete, daß man schwer arbeiten mußte und lange leben durfte. Jede Farbe hatte ihre Bedeutung, auch der rote, der weiße und der schwarze Mais.

«Du weißt, daß die Navajo den gelben Mais gewählt haben, wir aber den blauen, den kleinsten. Und das war gut so. Wir wußten, daß dieser Mais nie aussterben würde.»

Ich erinnere mich gut, wie oft ich mir überlegt habe, ob es nicht doch besser gewesen wäre, einen großen Kolben zu wählen und ein leichteres Leben zu haben. Aber das habe ich niemandem gesagt. Ich wußte ja, daß Großmutter recht hatte.

«Die schneebedeckten Höhen waren schön in jener Zeit, als die Kachina-Leute dort lebten», erzählte Großmutter. «Da war genug Feuerholz und Gras, auf dem das Wild lebte. Aber es gab auch viele Wölfe, Bären und Berglöwen. Sie töteten die Leute. Die mächtigen Schneefälle prüften die Kraft der Menschen, und manchmal wurden sie von einer Krankheit heimgesucht, die ihnen das Leben nahm. Nach einiger Zeit waren so viele von ihnen gestorben, daß die, die noch übrig waren, sich auf den Weg machten, um einen besseren Ort zum Leben zu finden. Nach langer Zeit gelangten sie zu den Schattenquellen oben im Norden. Von dort kamen sie später nach Oraibi. Und da wurden sie abgewiesen. Viermal fragten sie, bekamen aber nicht die Erlaubnis dazubleiben, obwohl sie versprachen, den Menschen das Geheimnis des Regenmachens zu offenbaren, wenn man ihnen Unterkunft gewährte. So kehrten sie an ihren alten Ort zurück.

Erst als Oraibi von Dürre und Hungersnot heimgesucht wurde, sandte der stolze Häuptling nach den Kachina-Leuten. Und sie haben uns vor dem Hungertod gerettet. Darum kommt Mutter Kachina noch heute aus dem Osten wie damals, bringt eine Schale mit Saatkörnern und ruft: ‹Ich bin einen langen Weg gereist und bin müde.› Und du hast gehört, meine Tochter, wie dann der Powamu-Priester zu ihr sagt: ‹Ja, ich weiß. Du mußt sehr müde sein›, bevor er ihr das Geschenk der Kachinas aus den Armen nimmt.»

Lächelnd schaute Großmutter auf die kleinen Kolben, die am Boden lagen.

«Darum geht dein Großvater aufs Maisfeld, sucht die kleinsten Kolben heraus und sagt zu ihnen: ‹Jetzt geht ihr nach Hause›.»

Großmutter hat mir so viel erzählt. Geschichten von der Spinnenfrau, von den heiligen Zwillingen und viele andere. Ich sehe das Kind, das ich war, neben ihr sitzen, sich am Kopf kratzen und atemlos zuhören.

Und ich sehe das Kind, wie es mit den andern auf den Hängen der Schuttkegel herumstreift, wie sie Linien in den Sand zeichnen. Oder sie ziehen ihre dürftigen Schuhe aus, reihen sie auf, verstecken einen Kiesel darunter und singen ihre Lieder, bis jemand den Stein gefunden hat.

Und dann, wenn die Melonen reif sind, das Lakón-Fest. Bei Sonnenaufgang kommen die Frauen den steilen Pfad über den Felsenkamm herauf, verschwinden in ihrer Kiva, und wenn sie wieder herauskommen, mit Wolkenkopfschmuck und ihrem weißroten Umhang, sind sie mit gelbem Puder aus den gemahlenen Blütenblättern von Sonnenblumen betupft. Und sie halten auf dem Platz und singen und werfen den Mais auf den Ring und wiederholen die Tänze. Und wir alle wissen, daß die Ernte gesegnet ist, daß wir nur eine begrenzte Zeit auf dieser Erde verbringen und dann nach dem Plan des Schöpfers in eine andere Welt versetzt werden.
Die Maisernte.
Die heiße Sonne des frühen Herbstes.
Der Dorfausrufer steht auf einem Hausdach und verkündet, daß der Tag des Tauschhandels bevorsteht.
Das waren die guten Zeiten. Es gab so viel zu essen wie sonst das ganze Jahr nicht. Besucher wurden erwartet, die Jungen fingen Hasen, die Mädchen gingen Wüstenkräuter sammeln, und die Frauen brachten alle möglichen Gegenstände, die sie eintauschen wollten.
Auf dem Platz wurden die Schätze ausgebreitet.
Süßer Mais und Feldmais in vielen Farben. Maismehl auf geflochtenen Schalen, ordentlich verpackt und mit einem Tuch zugedeckt. Getrockneter Kürbis, Kürbiskerne, Apfelkerne, Bohnen, Wüstengemüse, getrocknetes Fleisch, frisch erlegte Kaninchen und sogar Wüstengrassamen, wie man ihn für Pikami braucht. Aber auch Vorratskrüge, Flechtteller und vieles andere.

«Diese guten Hopi-Bohnen suchen getrocknete Pfirsiche!» riefen die Frauen.
«Wo ist das frische Kaninchenfleisch, nach dem dieses Gemüse ruft?»
So riefen die Frauen den ganzen Tag. Und sie lachten und neckten einander.
«Aha!» sagten die Tanten einer jungen Frau. «Du willst, daß dir jemand Maismehl gibt für dein Gemüse. Warum mahlst du es denn nicht selber?»
Und ihre väterlichen Tanten verteidigten sie. «Wie soll sie es mahlen? Wißt ihr nicht, wie früh sie heute morgen aufgestanden ist, um das Gemüse zu pflücken?»
Aber es war auch die Zeit, um die Gewänder der Vorfahren zu flicken. So nannten es die alten Frauen, wenn sie Geschichten von früher erzählten, wenn sie die Erinnerung an das, was gewesen war, weitergaben.

Danach wurde Márawu gefeiert. Langsam stiegen die Frauen aus der Maraw-Kiva, einander an den Händen haltend. Dann der Tanz der Maraw-Mädchen mit ihren schwarz bemalten Beinen, die für Sonne und Regen tanzten, für Pflanzen und Menschen, daß sie von Krankheiten verschont blieben, und für die Fruchtbarkeit der Frauen.
Und schließlich, Ende Oktober, der Korbtanz. Großzügig warfen die Frauen ihre Gaben unter die Zuschauer.
Damit war das Jahr des Wachstums zu Ende, das Jahr der Gebete und der Feste.

In meiner Erinnerung erscheint der Herbst als eine ununterbrochene Feier, heiter und ausgelassen. Aber ich erinnere mich auch, wie die Sonne immer weiter nach Süden ging, die Tage kürzer wurden und das Essen knapp.

Und wenn dann die Regenstürme kamen, wurde unser Dach undicht. Es war aus Reisig und Lehm gefügt, und jedes Jahr flickte Vater die undichten Stellen mit neuem Schlamm. Aber es half nichts. Es dauerte nicht lange, und das Wasser begann wieder durchzusickern. Es tropfte auf den mit Gips verputzten Fußboden. Wir kauerten uns alle in einer Ecke des Zimmers zusammen, um Schutz zu finden. Ab und zu stand Mutter auf, um den Boden zu trocknen.
Frierend saß ich neben den andern. Der Regen hatte schon aufgehört, aber das Dach tropfte weiter. Meine Füße fühlten sich so kalt an, daß ich in der Verzweiflung meine Decke packte, sie mir über die Schultern schlug und nach draußen zur Backgrube rannte. Es war ein einfacher Backofen, eine Vertiefung aus flachen Felssteinen, in der Mutter Maiskuchen gebacken hatte. Die Asche war noch warm und trocken. Darin wühlte ich meine Füße ein und lehnte mich gegen die warmen Ofensteine. In tiefer Hoffnungslosigkeit saß ich da und betete mit lauter Stimme, daß es nicht wieder regnen sollte.
Dann sah ich zum Himmel hinauf, wo sich die Wolken verzogen und die ersten Sterne aufzuscheinen begannen. Und als ich die Sterne ansah, stieg wieder Hoffnung in mir auf. Wenn ich groß bin, dachte ich, will ich ein besseres Leben schaffen. Für meine Eltern und Geschwister. Ich will arbeiten, daß sie nicht mehr hungern und frieren müssen.
In diesem Augenblick hörte ich Schritte.
«Polingaysi?»
Das war Onkel Sinoyvas Stimme.
«Du hast das falsche Gebet gesprochen.» Er hatte es also gehört.
Mein Onkel setzte sich auf meinen Platz und hielt mich auf seinem Schoß. Er wärmte mich.

«Du weißt, daß alles Wasser heilig ist, auch wenn es macht, daß du frierst. Du weißt, was geschieht, wenn wir keinen Regen haben.»

«Ja», sagte ich und schämte mich für das, was ich gewünscht hatte.

«Kennst du die Geschichte vom Regenmacher? Ich will sie dir erzählen. Aliksai!»

Ich kannte die Geschichte nicht.

«Es war in einer Zeit der Dürre. Jahr für Jahr dauerte sie an und nahm keine Ende. Die Brunnen wurden trocken. Es gab keinen andern Ausweg mehr, als daß ein Wasserpriester in einem Umpflanzkrug von weither gutes Wasser holte, um die Brunnen zu neuem Leben zu erwecken. Der Wasserpriester, der es tun sollte, war ein Vorfahr unserer Familie. Vier Jahre lang mußte er ein reines Leben führen, bis er bereit war, die lange Reise zu machen. Dann nahm er an vielen geheimen Treffen in der Kiva teil, und wenn er sich auf den Weg machte, mußte er beten und zahllose Vorschriften befolgen. Die einsame Reise war gefährlich. Aber die Geister bewachen immer die, deren Pflicht es ist, neues Wasser zu den Quellen zu bringen. Ein Regenpriester muß nicht nur ein reines Herz haben, er muß auch ein guter Läufer sein», sagte Onkel Sinoyva.

«Noch besser als die Männer, die jeden Tag nach Moencopi zu ihren Feldern laufen. Denn wenn er erst einmal mit seinem Krug auf dem Heimweg war, durfte er unterwegs nicht mehr haltmachen, um sich auszuruhen. Er durfte den Krug nicht auf den Boden setzen, bevor er die vertrocknete Quelle erreicht hatte. Wenn der Krug den Boden berührt hätte, wäre die Wirkung des Wassers auf jene Stelle übertragen worden, und er hätte den ganzen langen Weg umsonst gemacht. Er sollte ja zu Hause das neue Wasser umpflanzen in die versiegte Quelle. Und wenn der Krug erst einmal an seinem Platz stand, durfte er nicht mehr berührt werden. Sehr schlimme Dinge widerfahren jedem, der einen solchen Krug berührt.

Und der Regenpriester muß nicht nur gut laufen können. Er muß auch ein starker Mann sein, ein guter Mann, denn nach seiner Rückkehr darf er sich vier Wochen lang keiner Frau nähern. Seiner eigenen nicht und auch keiner andern. Wenn er diese Regel verletzt, wird ein schrecklicher Tod ihn und die Frau ereilen. Weißt du, was man sagt?» fuhr er leise fort. «Man sagt, daß die Schuldigen dann anschwellen wie Blasen. Daß sie sich drehen und winden und zischen wie Schlangen. Und wenn er nicht alle Rituale mit der größten Genauigkeit durchgeführt hat, wird er oder jemand von seiner Familie von der Wasserschlange verzaubert.»

Atemlos vor Aufregung hörte ich zu. Ich wußte, daß man mit der Wasserschlange nicht spaßen darf.

«Es war im Sommer», fuhr mein Onkel fort. «Der Regenpriester war nach vielen Gebeten zu einer Quelle an den Hängen der schneebedeckten Höhen gekommen. Dort machte er halt und ruhte sich aus. Dann stopfte er mit seiner Gebetsfeder ein wenig Moos in seinen Umpflanzkrug und Wasserkäfer, die er in der Quelle fand. Dann erst füllte er den Krug. Er pflanzte noch eine Gebetsfeder ein, um Segen für die Wasserschlange zu erbitten, der die Quelle gehörte, denn von ihr hatte er das Wasser geborgt.

Er brach auf, in den Händen den Krug, mit einem Netz umwickelt. So trabte er vor sich hin, als plötzlich eine Gruppe von Feinden, die auf einem Raubzug waren, vor ihm auftauchte. Sie waren zu Pferde.

Sie fingen den armen Regenpriester und zwangen ihn, den ganzen Tag ohne Pause neben ihren Pferden herzurennen. Er hatte starke Füße mit lederharten Sohlen, aber sie bekamen Blasen vom heißen Sand und von den Felsen. Sein Körper wurde trocken von der Hitze und dem Mangel an Wasser. Er war erschöpft vor Hunger und fast ohne Bewußtsein, als er weiter und weiter rannte, während seine Kräfte ihn schon verlassen hatten. Er wußte, daß er nicht mehr lange leben konnte. Er bat um Gnade. Aber seine Feinde verhöhnten ihn.

‹Du Feigling von einem Hopi!› sagten sie. ‹Du und dein Volk, ihr prahlt damit, daß ihr Regen bringen könnt. Also gut. Dann tu das jetzt. Mach, daß es regnet, oder du wirst getötet. Wir sind auch durstig, unsere Pferde brauchen Wasser, und es sieht so aus, als wären alle Quellen in eurem elenden Hopi-Land ausgetrocknet.›»

Und während wir unter den Sternen in der warmen Backgrube saßen, fürchtete ich für das Leben des armen Regenpriesters, aber mein Onkel sagte:

«Er war froh, daß er eine Gelegenheit hatte, sich zu retten. Die Feinde erlaubten, daß er stehenblieb. Da fiel er auf die Knie und begann, in tiefem Ernst zu beten. Er betete zum Großen Geist. Er rief den Regenleuten seine Qual und seine Angst entgegen. Er flehte die Wolkenleute und all die unsichtbaren Mächte der Feuchtigkeit an, ihm zu Hilfe zu kommen.

Schließlich erinnerte er sich, daß er eine Hauchfeder in dem Beutel von heiligem Maismehl verborgen hatte, den er um den Hals trug. Er hauchte sein Gebet auf sie. Und indem er zu den in den Himmel aufragenden Gipfeln von Nuvadakaovi aufsah, rief er die Kachina-Leute an.

‹Rettet mich jetzt›, betete er. ‹Ich gebe euch meine Gebete, mein Leben, mein Selbst.› Dann ließ er die Feder frei. Sie trieb davon auf einer Brise, die sie in die

Höhe hob und forttrug, immer weiter bis zu den Gipfeln.
Eine Weile beobachtete er sie, mit Hoffnung im Herzen. Dann begann er zu tanzen, und tief in seiner trockenen Kehle sang er die alten wortlosen Gesänge. So dünn, so ausgezehrt und so erschöpft war er, daß er kaum mehr als einen Schatten im Sonnenlicht darstellte, während er tanzte. Er tanzte und tanzte. Und er tanzte, bis eine Ohnmacht ihn überfiel. Er fühlte nicht, wie er zusammenbrach und auf die mit Steinen übersäte Wüstenerde fiel, mit dem Gesicht nach oben. Wie tot blieb er liegen. Aber mit seinen beiden Händen umklammerte er den Krug.
Als er wieder aufwachte, fühlte er, wie Wasser über sein Gesicht strich. Er lag in einer Pfütze. Regen kam in großen kühlen Schauern herunter. Der Donner krachte, und Blitze schossen ihre Schlangenzungen über die schwarzen Wolken.
‹Danke, ihr Regenleute, danke›, sang der alte Mann mit zitternder Stimme, als er sich aufsetzte. ‹Asquali. Wie schön ist das Naß. Ihr habt mich gerettet. Jetzt müssen meine Feinde mich freilassen.›
Aber als er sich umsah, war keiner mehr da. Der Schreck über das Wunder hatte sie fortgetrieben. Allein und frei stand er im strömenden Regen. Bald ließ der Regen nach und hörte dann ganz auf. Die Wolken trieben ab. Nur eine einzige kleine Wolke wie eine Feder schwebte über den Gipfeln, als der alte Regenpriester im Abendlicht nach Hause ging.»

In Angell ist ein Mann mit dürren roten Haaren eingestiegen. Nun sitzt er in der entferntesten Ecke, aber so, daß sein Gesicht zu mir herweist. Er hat eine unverschämte Art herzusehen. Er schaut nicht einmal weg, wenn ich versuche, seinen Blick zu verscheuchen. Will er mich quälen? Oder merkt er gar nicht, daß ich es nicht ertragen kann? Vielleicht denkt auch er, daß ich mich einmal waschen sollte. Jedenfalls denkt er nichts Gutes. Er starrt mein Kleid an, meine Füße, mein Gepäck. Es brennt auf meiner Haut wie Eis. Ich stehe auf und trinke einen Schluck Wasser. Aber wie ich zurückkomme, ist es das gleiche.
Ich mache die Augen zu, um die Blicke zu vergessen, horche auf das Tarratat, Tarratat und auf das Rauschen in meinem Kopf und horche auf den Regen, der in meiner Erinnerung auf unser Dach prasselt und in unser Zimmer tropft. Und in der Hitze des Eisenbahnabteils beginne ich zu frieren wie damals. Meine Füße werden kalt. Meine Hände.
Und doch bekomme ich Sehnsucht nach unserm Haus mit dem alten Dach und den dicken Wänden, die im Winter wärmen und im Sommer kühlen. Aber du wirst gar nicht in dieses Haus zurückgehen, sage ich mir. Du wirst in ein neues Haus gehen, und sein Dach wird aus Wellblech sein und keine undichten Stellen haben, denn meine Eltern sind von der Mesa heruntergezogen. Sie haben ein Haus gebaut, das ganz in der Nähe der Felder ist. Dort wohnen sie jetzt, in Neu-Oraibi.

Was mag aus unserm alten Haus geworden sein? Ist es leer? Zerfällt es? Wohnen die Geister der Toten darin? Ich sehe Mutter vor mir, wie sie Speisen zubereitet für die Geister, wie sie das Essen in Schüsseln füllt und auf den Boden stellt. Dann verlassen wir alle das Haus, ein Bündel mit Decken auf dem Rücken.

Jedes Jahr haben wir es so gemacht, zu Wúwuchim, wenn nicht nur die Nächte, sondern auch die Tage kalt werden und die Erde still ist. Wúwuchim, damit setzte der Kreis des Jahres, der im Herbst mit dem Korbtanz zu Ende gegangen war, von neuem ein. Das Jahr, das Wachstum, die Feste, alles beschrieb einen Kreis, wie sich die Erde dreht, und erneuerte sich bei jeder Drehung, Wúwuchim, Soyal, Powamu, Niman-Kachina, bis sich der Kreis mit den drei Erntefeiern wieder schließt. Schon viele Tage und Nächte waren die Männer in den Kivas gewesen, um stille lebenswichtige Aufgaben zu erfüllen, von denen niemand wissen durfte. Und in dieser Nacht mußten alle Familien, die im Osten des Platzes wohnten, ihre Häuser verlassen. Alle Türen wurden verschlossen, alle Fenster mit Decken zugehängt.

Die vier Wege, die ins Dorf führen, wurden mit Strichen aus heiligem Maismehl verschlossen. Nur der enge Pfad, der sich im Südwesten an der Felskante entlangwindet bis zum höchsten Punkt der Mesa im Westen, wo die Adler nisten, blieb offen, denn dort ist der unsichtbare Torbogen, durch den die Totengeister für die Mitternachtszeremonie ins Dorf kommen. Gegen Abend gingen wir mit unseren Decken zu Großmutter. Bald durfte niemand mehr in den Straßen sein. Ich weiß noch, wie schnell ich gegangen bin. Jedes Jahr habe ich Angst gehabt, es könnte schon zu spät sein. Plötzlich konnten zwei Schatten vor uns auftauchen, und wenn wir die Stimmen der Wächter hörten, die «Hakumi? Wo bist du?» riefen, dann war es um uns geschehen. Geister würden dann antworten: «Ich bin ich!» Aber wenn die Wächter einen menschli-

chen Laut hörten, wenn sie uns sahen, dann mußten sie uns mit ihren Lanzen durchbohren.
Erleichtert war ich, wenn wir Großmutters Haus vor der Dunkelheit erreicht hatten. Dort sprachen wir unsere Gebete und beugten uns über das Essen. Niemand wußte, was unterdessen draußen geschah. Niemand durfte es wissen. Sie nannten es die Nacht der Haarwäsche, und mehr wurde darüber nicht gesagt. Und wenn in dieser Nacht alles so verlief, wie es sein sollte, dann würden Pflanzen, Tiere und Menschen fruchtbar sein und keimen.
Still saßen wir beieinander am Feuer und horchten auf die leisen Geräusche der Tonglocken und der Schildkrötenrasseln, die die Wächter an ihren Beinen trugen. Die ganze Nacht durchstreiften sie Oraibi, um das Leben der Männer in den Kivas zu schützen, denn in dieser heiligen Nacht war ihr Leben in Gefahr, wenn sie von einem Menschen gesehen wurden. Nur Priester und wohlwollende Geister durften in ihrer Nähe sein.
Hin und wieder drangen ihre schwachen Rufe zu uns herein. «Hakumi? Hakumi?»
Es war, als striche Kälte über meinen Nacken. Dann zitterte ich.
Plötzlich richtete Großmutter sich auf. Abwesend strich sie sich mit der Hand über die Stirn und schaute in die Ferne.
«Hast du etwas gehört, Großmutter?»
Sie antwortete nicht.
Nur die Einhorn- und die Zweihornpriester können die Stimmen der Geistwesen hören, wenn sie auf ihre Rufe antworten. «Pinu'u!» sagen sie. «Ich bin ich!» Sie können sie auch sehen, wenn sie ins Dorf kommen oder an den Felswänden entlanggehen.
Ich war überzeugt, daß Großmutter etwas gesehen hatte, was meine Augen mir nicht zeigen konnten. Sie

erkannte sofort, wenn ein Verstorbener in der Nähe war. Ich weiß noch, wie wir im Frühling an der Kante der Mesa standen. Im Tal erhob sich ein kleiner feiner Nebel, und da richtete sie sich auf und schaute. Dann sagte sie liebevoll: «Oh-ii. Ja. Da sind sie. Sie besuchen ihre Heimat.» Oder wenn unvermittelt eine sanfte Brise über die Mesa floß, wußte sie, ob es ein Verstorbener war. Und meine Mutter wußte es auch.

Als ich in dieser Nacht unter meiner Decke lag, sah ich sie vor mir, die Geister der Toten, wie sie zu unserm Haus gingen, wie sie eintraten und die Speisen zu sich nahmen. Tote müssen auch essen. Aber sie essen nicht den Körper der Speisen, sondern was in ihnen ist, ihren Geist. Sie nehmen den Duft. Und wenn sie sich gesättigt hatten, ließen sie den Körper der Speisen in den Schalen zurück. Und noch beim Einschlafen war in meinen Gedanken das unheimliche Klingeln von fernen Glöckchen.

Am andern Morgen gingen wir nach Hause zurück. Es war wieder wärmer geworden. Eine langgestreckte Wolke lag am Himmel und schwamm durch das Blau zu uns her. Mutter vergrub das Geschirr, das die Geister benutzt hatten, und verbrannte die körperlichen Reste, die darauf zurückgeblieben waren.

Das ganze Dorf war herausgeputzt und sauber. Gegen Mittag kamen die ersten Gestalten aus den Kivas. Wuchim-Priester und Flöten-Priester. Blaue Sterne waren auf ihren Stirnen. Dunkel war der Klang ihrer Trommeln und tief ihr Singen. Sie umkreisten das Dorf und tanzten, bis die Sonne unterging. Dann gingen sie wieder hinunter. Und am nächsten Morgen sah ich, wie ein Priester aus der Flötenkiva eine Decke auf den Platz trug und den Sand ausschüttete, der darin war.

«Er gibt ihn der Erde zurück», sagte Mutter.

Sie schaute zum Himmel.
«Was siehst du?»
«Nichts. Und das ist gut. Denn wenn es jetzt einen Regenbogen gäbe, trüge er die Farben in der umgekehrten Reihenfolge. Und das wäre ein böses Zeichen.»
Am Abend erschien ein Regenbogen. Es waren sogar zwei. Zu beiden Seiten der Sonne standen sie.
Glücklich sah Mutter zu ihnen auf. «Es ist alles gut gegangen», sagte sie erleichtert. «Und im nächsten Jahr werden wir eine gute Ernte haben.»
Der letzte Tag des Festes war gekommen. Prächtig gekleidete und bemalte Priester zogen in zwei langen Reihen durch die engen Straßen, um auf den Plätzen zu tanzen und zu singen. Weiße Wildlederkleider, Wolkentürme auf den Köpfen, Rasseln, Federn, Schärpen, Fuchsfelle, Hörner, gelbe Streifen oder blaue Körper, rote Körper. Und sie hielten ihre Hände als Symbol der Brüderlichkeit, indem sie die Handflächen nach oben streckten und einander so anfaßten. Die Zeit bewegte sich nicht, als sie mit langsamen Tanzschritten zum Takt der Trommel durch die Straßen zogen. Das Stampfen ihrer Füße, das tiefe Singen ihrer Stimmen war überall.
Wir hatten uns auf den Dächern versammelt und schauten schweigend zu. Immer wieder verschwanden sie in den Kivas. Und als sie das fünfte Mal herauskamen, waren sie nackt bis auf ein Paar kurze Hosen. Da liefen die Frauen mit Kübeln und Eimern auf sie zu, gossen das Wasser über die Männer, lachten sie aus, und die Männer lachten zurück, während die Frauen zu den Fässern rannten, um ihre Eimer wieder zu füllen. Die Neckereien wurden immer ausgelassener. Nur die Zweihörner, ernst und feierlich, die das Wissen von den früheren Welten besitzen, mußten abseits

stehen. Sie durften auf keinen Fall berührt werden, wenn die Zeremonie nicht entweiht werden sollte.
Und während unten das kalte Wasser in Strömen über die nackten Körper floß, begannen wir oben auf dem Dach zu frieren. Wir traten von einem Fuß auf den andern. Aber es war nicht erlaubt, vom Boden aus zuzuschauen. Erst als das Spiel vorbei war, konnten wir Kinder auf die Straße hinunterrennen und herumjagen, um uns zu wärmen. Etwas Merkwürdiges geschah. Vor einem Haus standen die Leute, andere kamen dazu, und sie standen beieinander, unruhig. Ich sah zu meiner Mutter hin, die beim Haus geblieben war. Sie schien schon darauf gewartet zu haben und winkte mich mit dem Kopf zu sich. Schnell holte ich meine Brüder, und wir liefen nach Hause. Die Straßen leerten sich wie auf ein Zeichen.
«Was ist geschehn?» sagte ich.
«Sie haben gesehen, daß eine Frau aus Versehen ein Zweihorn berührt hat.»
«Und nun?»
«Das können wir nicht wissen. Wir wollen hoffen, daß es nicht wahr ist.»
«Und wenn es wahr ist? War dann alles umsonst?»
«Das ist möglich», flüsterte Mutter.
Niemand sprach. Nur das klare zerbrechliche Klingeln von Glocken, als in einer langen, schweigenden Reihe die Einhörner erschienen. In ihren weißen Umhängen, mit ihren Einhornhelmen gingen sie langsam um das Dorf herum. Kein Tanzen, kein Singen, kein Wort. Nur Gehen. Die gelbe sinkende Sonne schien auf sie.
Und dann, nicht lange nach ihnen, als die Luft schon grau wurde und wir in der zunehmenden Kälte standen, war es, als ob die Spannung, die uns ergriffen hatte, noch zunahm. Mit weißen Umhängen verhüllt, trat still die Reihe der Zweihörner heraus, geisterhafte

gehörnte Gestalten, die sich im unwirklichen Grau bewegten und leuchteten und das sanfte Klappern der Schildkrötenrasseln mit sich nahmen, bis auch sie das Dorf umrundet hatten.

Mit Wúwuchim hatte die stille Zeit des neuen Jahres angefangen. Und mit dem letzten Gang der Zweihörner ging Wúwuchim zu Ende.

Bevor wir uns schlafen legten, sagte Mutter: «Jetzt bin ich ruhig. Die Zweihörner haben den Fehler wieder gutgemacht.»

Nun konnte der Dezember kommen. Kamuya heißt er, der Stille Mond, eine heilige Zeit, in der besondere Gesetze galten. Die Erde ruhte. Und ihre Ruhe war heilig. Man durfte nicht in der Erde graben, nicht auf ihr stampfen, keine Trommeln schlagen, nicht laut sprechen, denn unter der Erdkruste war Muyingwa an der Arbeit, der Gott des Keimens. Und wenn von oben die Erde auch leblos aussah, so geschah unten doch mehr als zu jeder andern Jahreszeit. Die Wurzeln lebten. Und Muyingwa machte die Samen für die nächste Ernte zum Keimen bereit. Dabei durfte er nicht gestört werden.

Ich sehe sie wieder, meine Mutter, wie sie still ihrer Arbeit nachging und keinen Augenblick vergaß, worauf es ankam. Liebevoll sorgte sie dafür, daß wir alle zu essen hatten. Und wir Kinder halfen ihr dabei. Mutter lehrte uns die Pflichten des Alltags, den Sinn für die richtige Richtung. Ich wußte so wenig. Meine Schwester Duvangyamsi konnte schon alles. Wenn wir am Feuer saßen und Geschichten erzählten, hatte sie eine Flechtarbeit in der Hand, und ihre Teller wurden fast so schön wie die, die Mutter machte.

Duvangyamsi konnte schon kochen, als sie noch ein kleines Mädchen war.

«Du kannst es auch», sagte Mutter. «Heute darfst du die Maismehlklöße machen.»
Ich war nicht sicher, ob ich es konnte, aber ich wollte es lernen. Ich habe das blaugraue Maismehl mit den Händen abgemessen, in eine irdene Schüssel gefüllt, heißes Wasser darübergegossen und gerührt, gerührt.
Mutter schaute zu. «Jetzt», sagte sie, als ich atemlos eine Pause machte, «tu ein wenig kaltes Wasser dazu.»
Ich rührte weiter.
«Und nun von dieser Flüssigkeit.»
«Was ist es?»
«Wasser», sagte Mutter, «in dem ich Salbeiasche aufgeweicht habe. Das gibt den Klößen Geschmack und eine gute Farbe.»
Ich rührte es hinein.
«Nun noch eine Prise Sand.»
«Sand?» Ich wollte lieber keinen Sand hineintun. «Sand mag ich nicht gern. Müssen wir wirklich immer eine Prise dazutun?»
«Mein Kind», sagte Mutter ruhig, «wir kochen eine kleine Portion Essen für viele hungrige Menschen. Und mit dem Sand, den wir hineingeben, beten wir für reiche Nahrung. Seine Körner sind ohne Zahl. Sein Wesen ist die Fülle. Denn was ist reichlicher als der Sand von Mutter Erde in seiner Endlosigkeit? Daran erinnern wir uns, wenn wir ihn in unsere Nahrung mischen, der es an Fülle fehlt. Und nun», sagte Mutter, «wenn du den Teig in deinen warmen Händen knetest, sollst du gute Gedanken im Herzen haben, damit kein Flecken von etwas Bösem hineingerät. Sei dem Sand dankbar. Bitte darum, daß das, was du in deinen Händen hältst, die Größe und die Macht von Mutter Erde enthalten möge. Dann werden die, die es essen, nicht nur im Körper, sondern auch im Geist ernährt werden.»

Und dann, wenn wir die Klöße aßen, fühlten wir das leise Knirschen des Sands zwischen den Zähnen. Und wir wußten, was es bedeutete.

Der Stille Mond wurde auch der Mond des tropfenden Blutes genannt. Ich schaute zum Mond hinauf, der im tiefschwarzen Himmel stand, umgeben von den Wanderungen der ewigen Sterne. Der Morgenstern und die zwei Brüder, Sirius und das Siebengestirn. Sie leuchteten herunter aus der sternenübersäten Tiefe. Dann versuchte ich zu sehen, wie von dem Rand, wo der Mond nicht mehr ganz rund war, das Blut tropfte. Und ich konnte es nicht entdecken.

Rasch huschte ich zurück ins Haus, denn Geister waren unterwegs, gefährliche Geister, die uns Unheil zufügen konnten. Darum durften wir die Haare nicht schneiden, denn die Geister warteten nur darauf, sich irgend etwas Abgeschnittenes zu schnappen, um darin ihre Nester zu bauen. Und wenn sie sich einmal eingenistet hatten, konnte man sie nicht mehr loswerden. Nach Sonnenuntergang blieben die Menschen zu Hause. Wenn es aber unvermeidlich war, durch eine dunkle Gasse zu gehen, versuchte man sich zu schützen, indem man sich auf Stirn und Fußsohlen Kreuze aus Asche zeichnete. Man mußte auch fürchten, daß die Geister in die Häuser kämen. Mutter verbrannte Pech, und sein Rauch bildete einen rußigen Schleier in der Tür. So konnten sie den Weg zu uns nicht finden. Wir waren sicher.

Und während das dunkle Dorf von den Geistern besucht wurde, hockten wir an der Wärme des Feuers, atmeten den Rauch, der uns beschützte, und erzählten Geschichten. Geschichten von der Erschaffung der Welten, vom Aufstieg, von den Trittsteinen im Meer, über die wir gekommen sind, von den Wanderungen der Klane und von allem andern, was sich in der Vergangenheit zugetragen hat. Geschichten von Tieren und Menschen, von Göttern und den sagenhaften Gestalten der fernen Zeit. Es sind so viele, daß keiner sie alle kennen kann. Jeder Klan hat seine eigenen Geschichten, und in jedem Dorf sind sie anders.

Aber jetzt, wie soll ich diesen Mann vergessen, der da in seiner Ecke sitzt? Manchmal sinkt ihm der Kopf. Seine Haare fallen nach vorne. Dann hebt er ihn wieder, und sein trüber Blick wandert zu mir. Das Rattern der Eisenbahn hilft nichts. Trotzdem höre ich zu. Tarratat, tarratat. Ich höre die Schritte von Stiefeln auf hölzernen Dielen, eine metallene Stimme, ein Lineal, wie es auf die Schulbank geschlagen wird, daß mir das Herz stockt, und ein Flüstern, das Flüstern meiner Freundin, den Lehrer, der sie packt, auf den kalten, dickbauchigen Ofen setzt und ihr einen Radiergummi in den Mund schiebt. Dort sehe ich sie sitzen, regungslos, den Kopf in tiefer Scham gebeugt, während die Zeit stehenbleibt. Sie scheint kaum zu atmen. Manchmal zuckt ihr Fuß. Ich sehe ihr bleiches Gesicht und den Speichel, der ihr aus dem Mund tropft.

Soyal

«Die Zeit der Sonnenwende rückte näher, und unser Dorf bereitete sich auf den Soyal vor», sagte Großmutter. Sie erzählte aus der Zeit, als sie ein kleines Mädchen war. Der weiße Mann, der aus dem Osten kam, war damals noch nicht in unserem Land.
Es geschah nicht oft, daß Großmutter über die Schrekken der Vergangenheit sprach. «Schon lange», sagte sie, «verfolgten die spanischen Krieger Navajo-Banden, die herumzogen und plünderten. Und eines Tages kamen die Spanier zu uns geritten. Meine Mutter war gerade dabei, Piki zu backen für das Fest. Die Männer waren in den Kivas und machten die Gebetsstäbe. Und als wir sahen, wie die Reiter unten anhielten, um ihre Pferde zu tränken, gingen wir hinunter und brachten ihnen zu essen. Am andern Morgen ritten sie plötzlich auf den Platz vor der Schlangenkiva und bliesen in ihr Messinghorn. Erschrocken liefen die Kinder davon, und die Männer kamen aus den Kivas gestürzt. Ich spähte vorsichtig nach draußen. Da hörte ich einen Schuß. Ich sah, wie Hoyentewa zu Boden fiel. Er hatte versucht, seinen Sohn zu schützen. Der nächste Schuß tötete Wuwuhpa, und diese Spanier haben ihn sofort skalpiert. Dann packte einer einen kleinen Jungen. Er kreischte laut auf. Sein Vater sprang herbei und warf ihm eine Decke über den Kopf, um ihn zu schützen, dann stürzte er sich auf den Spanier. Und während sie um das Kind kämpften, kam ein anderer Mann und schoß. Vater und Sohn fielen nieder. Blut lief über den Lehm. Als es still wurde, kam der Junge unter der Decke hervorgekrochen. Sein Vater aber ist nicht mehr aufgestanden.»
Stumm starrte Großmutter ins Feuer.

«Und dann war da ein kleines Mädchen», fuhr sie mit brüchiger Stimme fort. «Sie hieß Kaeuhamana, Maismädchen, und war sieben Jahre alt, kaum älter als ich. Sie saß mit ihrer Schwester auf dem Dach. In blaue Decken waren sie gehüllt. Da kam ein spanischer Krieger, riß sie herunter und nahm sie mit. Und noch dreizehn andere Kinder. Unsere Männer konnten nichts dagegen tun. Zwei von den Spaniern haben sie getötet, aber es waren zu viele. Dann nahmen sie uns noch die Schafe weg und machten sich mit den Kindern auf den Weg nach Santa Fé. Maismädchen war so klein, daß sie auf dem Pferd festgebunden werden mußte. Aber das Pferd scheute, und als es davonrannte, löste sich das Seil. Maismädchen fiel herunter, der Huf des Pferdes traf sie am Kinn. Ihr Leben lang trug sie diese Narbe. Und dann war noch die junge Frau von Wickvaya dabei.»
Großmutter konnte nicht weitersprechen. Mit geschlossenen Augen wiegte sie sich hin und her.
«Erst nachher haben wir erfahren, was unterwegs geschehen ist. Die arme junge Frau ist vergewaltigt worden. Wieder und wieder sind die Spanier auf dem langen Weg über sie hergefallen. Mit zerrissenen Kleidern ist sie in Santa Fé angekommen, stumm und bleich, als wäre kein Blut mehr in ihr.
Wickvaya war außer sich vor Zorn, als diese Nachricht zu uns kam. Aus dem Hochzeitskleid seiner Frau machte er einen Beutel, packte Piki und Tosi ein und ging los.
Erst suchte er in Zuni einen Mann, der Spanisch konnte, und zusammen gingen sie zum Palast des spanischen Hauptmanns in Santa Fé. Der war ein kranker Mann, aber er geriet in Wut, als er hörte, was die beiden zu berichten hatten. Er sprang aus seinem Bett. ‹Das ist gegen den Befehl›, schrie er. ‹Meine Männer

hatten den Auftrag, Räuberbanden zu verfolgen und sonst nichts. Ich will sie lehren, Skalps zu verkaufen und Kinder einzufangen aus Geldgier!›
Er rief seine Soldaten zusammen und schickte nach den Leuten, die die Gefangenen gekauft hatten. Wickvaya stand in dem Saal und wartete, daß seine Frau käme. Nach einer langen Zeit wurde sie hereingeführt. Und kaum sah sie ihn, schämte sie sich so sehr, daß sie den Kopf unter ihrer Decke verbarg. Es zerriß Wickvaya das Herz zu sehen, wie sie, die keine Schuld trug, vor Scham verging. Nicht sie war es, die sich schämen mußte.
Unter den Kindern, die hereingeführt wurden, war auch ein Junge, der Masavehma hieß. Bemalter Schmetterlingsflügel. Er war von einem spanischen Ehepaar gekauft und in ihr Haus gebracht worden. Sie hatten keine Kinder, gaben ihm alles, was er brauchte, und behandelten ihn wie ihren eigenen Sohn. Er arbeitete gern für sie, trieb ihre Maultiere auf die Weide und sammelte die Eier, die ihre vielen Hühner legten. Er war der Glücklichste von all diesen Kindern. Und seine neuen Eltern, die ihn mit bangen Gesichtern hereinführten, wurden ohne Strafe entlassen, als er erzählte, daß er es bei ihnen gut gehabt hatte. Alle drei weinten, als sie sich verabschieden mußten. Die andern aber, und vor allem die Soldaten, wurden grausam bestraft.
Die Kinder mußten mit hinausgehen und zusehen, wie sie ein großes Grab gruben. Sie sollten zu Hause erzählen, wie schwer der Hauptmann seine Soldaten dafür bestrafte, daß sie friedliche Hopi mit Räuberbanden verwechselt hatten. Einen hat er selber erschossen. Andere wurden von Pferden zu Tode geschleift. Oder man band ihnen Eisenkugeln mit furchtbaren Stacheln unter die Füße. In den Händen hielten

sie eine zweite Kugel an einer Kette, die sie sich immer wieder über die Schulter werfen mußten, und die Stacheln bohrten sich tiefer und tiefer in ihre blutüberströmten Rücken.
Halb ohnmächtig vor Entsetzen schauten die Kinder zu. Noch nie hatten sie solche Grausamkeiten gesehen. Dann wurden sie unter sicherem Schutz nach Hause zurückgebracht. Masavehma erzählte, wie er Maismädchen auf seinem Rücken tragen mußte, weil sie zu klein war für den weiten Weg. Dabei war er auch erst sieben Jahre alt.
Und als die Jahre vergangen waren», sagte Großmutter zum Schluß, «hat Masavehma Maismädchen geheiratet.»

Viele solcher Geschichten wurden bei uns erzählt, und viele waren noch schrecklicher als diese. Nie werde ich eine einzige von ihnen vergessen. Großmutter hatte erlebt, wie eines Tages Navajo ins Dorf kamen und fast alle Bewohner auseinandertrieben und töteten. Sie hatte erlebt, wie grausam die Spanier die Navajo verfolgten. Und sie kamen auch wieder nach Oraibi, um Menschen wegzuschleppen. Schließlich kamen keine Spanier mehr. In Santa Fé herrschten neue Bahánas, die von Osten gekommen waren. Unsere Ältesten reisten zu ihnen und erhielten das Versprechen, sie würden unser Land und unsere Religion achten und uns vor Eindringlingen schützen. Aber wir haben nicht viel davon gemerkt. Dabei war der Bahána einverstanden gewesen, daß die unsichtbare Macht des Schöpfers ihn strafen sollte, wenn unsere uralten Rechte verletzt wurden.
«Ich habe nie geglaubt», sagte Großmutter oft, «daß dieser weiße Mann aus dem Osten der gute weiße Bruder ist, dessen Ankunft uns geweissagt wurde.»

Sie war überzeugt, daß wir uns vor ihnen hüten mußten und nichts mit ihnen gemeinsam haben durften. So dachte auch meine Mutter. Und wenn man mir damals gesagt hätte, daß ich einmal nach Kalifornien fahren und in die Schule der Weißen gehen würde, ich hätte es nicht geglaubt.

Ich hatte zu der Zeit noch nicht viele Weiße gesehen. Den Händler im Trading Post bei der Kojote-Quelle unten im Tal. Durchreisende Besucher. Die Krankenschwester. Den Arzt aus Keams Canyon nie.
Am besten kannte ich Pastor Voht und seine Familie. Oft war ich mit meinem Vater dort gewesen, wenn er half, die Missionsstation am Fluß zu bauen und das Wohnhaus. Möbel mußten gezimmert, Unterstände für die Kuh, die beiden Maultiere und die Hühner gebaut und Brunnen gegraben werden. Bei all diesen Arbeiten war mein Vater dabeigewesen.
Und in diesem Jahr hatte ich angefangen, auch allein dorthin zu gehen. Mit andern Kindern saß ich auf einer Bank, die mein Vater gezimmert hatte. Gottesdienst, sagten die Weißen. Voller Vorfreude stieg ich jedesmal den schmalen Weg ins Tal hinunter, und während in meinem Kopf die Lieder summten, die wir bei Pastor Voht gelernt hatten, hörte ich in der Ferne den Gesang des Schafhirten, der seine Herde aus dem Pferch in der Nähe des Dorfes hinaustrieb, um sich mit ihnen auf die mühselige Wanderung hinab zu den Weiden zu machen. Solange ich zurückdenken konnte, hatte ich die Menschen singen gehört. Die Frauen bei der Arbeit, die Männer, wenn sie im Licht der aufgehenden Sonne zu ihren Feldern wandern, und die Kinder beim Spielen, sie alle singen. Und es singen die Tänzer auf dem Dorfplatz und die unter der Erde in ihren Kivas. Viele von den Liedern, die heute noch

gesungen werden, sind alt. Viele sind so alt, daß niemand mehr ihre Worte versteht.
Aber die Menschen sangen auch neue Lieder. Meine Mutter gehörte zu einer Frauengesellschaft, einer Sing- und Tanzgruppe, und Mutter erfand Lieder für sie. Eins von ihren Liedern wurde später viele Jahre lang von den Niman-Tänzern bei den Feiern im Juli gesungen. Es war ungewöhnlich, daß sie ein Lied sangen, das eine Frau gemacht hatte, und ich war sehr stolz auf meine Mutter.
Ich weiß noch, als wäre es gestern gewesen, wie meine Mutter, die eine starke, schöne Stimme hatte, mir vorsang und wie sie mich zum Singen ermutigte. Und ich erinnere mich an den Tag, als sie entdeckte, wieviel Kraft in meiner Lunge war. Mühelos konnte ich die hohen Töne halten. Freude schimmerte in Mutters Gesicht.
Dann erzählte sie mir, daß ich sehr krank gewesen bin, als ich noch ganz klein war. «Die rote Krankheit hast du gehabt», sagte sie, «und wir dachten, du würdest nicht mehr lange leben. Viele Menschen waren damals krank, auch deine Schwester. Pastor Voht nahm sie zu sich, um sie zu pflegen, aber sie war nicht mehr zu retten. Dich hat der Medizinmann Apha gepflegt. Tag und Nacht hat er dich gehalten und mit seinem Zauber behandelt. Und du bist am Leben geblieben. Wie eine kleine Känguruh-Maus hast du in seinen Armen gelegen, mehr tot als lebendig, tagelang. Weißt du das noch?»
Ich wußte nichts davon.
«Es war der Mann mit Augen, der dir das Leben gerettet hat, Apha. Aber lange Zeit bist du schwächlich geblieben.» Sie lächelte beim Gedanken an das schwächliche Kind, das ich gewesen war. «Du bist immer hinter deinem Großvater hergelaufen, wenn er

auf die Felder ging. Er hatte lange Beine, und du konntest nicht Schritt halten. Da hat er zu mir gesagt: ‹Sevenka, behalte dies Kind zu Hause. Ich muß ihretwegen anhalten und auf sie warten, denn immer, wenn ich ein Stück gegangen bin, höre ich sie hinter mir keuchen wie eine kleine Eidechse.›»
«Das hat Großvater gesagt?»
«Ja», sagte Mutter. «Damals hätte ich nicht gedacht, daß deine Lungen einmal so gesund und so stark sein würden.»

Jedesmal am Tag des Gottesdienstes kamen mir schon am frühen Morgen die Worte meiner Mutter in den Sinn. Dann freute ich mich auf das Singen mit den andern Kindern, auf neue Lieder und auf die Süßigkeiten, die wir nach der Singstunde bekamen.
Vorher ging ich ins Haus meiner Großmutter, um dort das Frühstück zu essen. Ich wußte, daß es die Aufgabe des jüngsten Familienmitglieds ist, den Hausgottheiten das Essen zu bringen, und ich wußte auch, daß ich an diesem Tag die Jüngste war, aber ich war in so großer Eile, daß ich gar nicht daran dachte und mich sogleich hungrig auf den Boden setzte.
Großmutter mußte mich an meine Pflicht erinnern, und ich schämte mich, als ich aufstand.
Die Familiengötter, ein grob behauener Stein, der eine Berglöwin darstellte, und zwei kleinere behauene Steine, ihre Jungen, hatten ihren Platz im unteren Stockwerk. Ein paar abgetretene Stufen mußte ich hinuntergehen. Dort standen sie in einem dunklen Raum und warteten auf ihr Essen. Jedesmal, wenn ich in den Raum trat, bekam ich Herzklopfen. Nicht nur wegen der Dunkelheit. Ich wußte auch, was unter diesem Raum war. Die alte Kiva der Regenmacher. Die älteren Kinder erzählten, sie hätten von dort seltsame

Geräusche gehört, als ob die Kiva von den Geistern der Regenpriester heimgesucht würde.
Eine Gänsehaut überlief mich, und ich zögerte, bevor ich zu der Berglöwin hineinging. Dann dachte ich daran, wie gern ich singen wollte, an die Belohnung, die ich dort vielleicht bekam, und faßte mir ein Herz. Ich nahm ein wenig Maismehl für Vater Sonne, ein paar Piki-Flocken für die Löwin und schlich mich in den dunklen Raum.
«Bitte tu mir nichts», flüsterte ich der Löwin zu und ließ hastig die Piki-Flocken vor ihr fallen. «Vater Sonne und Guter Geist, beschützt mich», fügte ich hinzu und warf das Maismehl in die Luft, bevor ich mich davonmachte und zur Familie zurückeilte.
Sie saßen alle auf dem Boden. Das Essen stand vor ihnen, Piki-Fladen auf einer geflochtenen Schale aufgestapelt, Maiskuchen in einem tönernen Topf, und dann gab es Wasser, um das Piki einzutauchen. Alle beugten sie die Köpfe aus Dankbarkeit für die Nahrung, die sie nur haben konnten dank dem Regen, der gefallen war, und dank der Sonne, die die Felder gewärmt hatte. Ich neigte ebenfalls den Kopf. Dann aß ich. Und wenige Minuten später war ich bei den andern Kindern.
Sie hüpften über den steinigen Weg und sangen. Das Lied sangen wir, das wir beim letzten Mal vom Missionar gelernt hatten, Worte in einer fremden Sprache, die wir nicht verstanden. Wir sprachen sie nach, so gut wir konnten. Jesus sei ein großer Lehrer, sagte der Missionar.
«Jesus loves me, this I know», sang er vor.
Und so schön wir konnten, sangen wir «Deso lasmi, desi no». Aber dann hielten wir uns schnell die Hände vor den Mund, damit Pastor Voht nicht sah, daß wir lachen mußten. Bei den andern Liedern verstanden

wir nicht, was wir sangen, aber diese Worte hatten eine Bedeutung in unsrer Sprache. Die Leute von San Juan bringen Esel, hieß es. Das war das komischste Lied, das wir je gehört hatten. Aber wer weiß, wie komisch die andern waren, wenn man sie verstand.
«Deso lasmi, desi no», so sangen wir jetzt wieder beim Hinuntergehen und versuchten dabei so lange ernste Gesichter zu machen, bis wir alle lachen mußten. Kichernd und atemlos kamen wir bei der Mission an.
Wir lernten neue Lieder für das Winterfest, auf das sich die Familie Voht vorbereitete. Sie danken dann dafür, daß Jesus geboren wurde. So hat der Missionar gesagt. Er sprach unsere Sprache, aber auf eine eigenartige Weise. Oft mußten wir lachen über die Wörter, die er gebrauchte. Es war, als hätte sich jemand einen Scherz mit ihm gemacht, als er ihn unsere Sprache lehrte. Statt «danke» sagte er «ich bin euch sehr zu Dank verpflichtet». Aber wir wußten, was er meinte. Und er fragte nach neuen Wörtern. Vielleicht ist unsere Sprache für Weiße schwer zu lernen. Die meisten versuchen es gar nicht erst.

Während wir dort Weihnachtslieder sangen, waren bei uns die stillen Vorbereitungen für den Soyal im Gange. Jedes Jahr freute ich mich auf dieses Fest, wenn die Kachinas aus ihrem Schlaf erwachen und zu uns kommen.
Es schneite. Feine Flocken peitschte der Wind durch die Luft. Kleine funkelnde Schneeteilchen, ungreifbar wie Staub, fanden ihren Weg durch Spalten, durch die Ritzen in der zugehängten Tür. Schnee lag auf den Dächern, bedeckte die Mesa, die Felder, die kahlen Zweige der Obstbäume, die sich an die steinigen Hänge klammern, und breitete sich auf den rauhen Ebenen und Erhebungen der Wüste bis ins Unendliche aus.

Und in einem weißen Gewand kam der Soyal-Kachina ins Dorf gestolpert. Er war immer der erste. Glücklich sah ich ihm zu, wie er wackelte und taumelte, als wäre er ein ganz kleines Kind, das noch nicht laufen kann. Wenn er stehenblieb, sang er glückbringende Lieder oder pflanzte die Soyal-Stäbe auf. So begann ein neues Jahr mit den Kachinas.
Und am nächsten Tag, als das Schneien aufgehört hatte, standen die Menschen wieder auf der Straße und warteten. Der Mastop-Kachina sollte kommen. Ich war froh, daß wir oben auf unserm Dach geblieben waren, denn vor ihm fürchtete ich mich. Schrecklich sah er aus mit seinem schwarzen Körper, auf dem weiße Menschenhände abgedrückt waren. Und was er tat, ängstigte mich noch mehr als seine Gestalt. Ich zuckte zusammen, als sein schwarzer Helm an der Kante der Mesa sichtbar wurde. Dann kam er näher, mit Wildkatzenfellen an den Beinen und den drei Orionsternen weiß an seinem schwarzen Kopf. Er ist durch die weiten Räume gereist, in denen die Sterne sind. Sein Stab ist die Leiter, auf der auch wir in zukünftige Welten aufsteigen werden. Mit bedeutungsvollen Schritten näherte er sich, blickte sich suchend unter den Zuschauern um. Es dauerte nicht lange, bis er eine von den Frauen herausgriff, sie packte und an sich heranzog. Die Frau schrie nicht. Sie wehrte sich nicht einmal. Sie ließ es geschehen, daß er sie festhielt und dann seinen mit Fellen von wilden Tieren bekleideten Unterleib gegen ihren stieß. So ging es eine Weile, bis er sie wieder losließ. Ganz ruhig ging sie zu den andern zurück und schaute zu, wie er die nächste herausgriff.
Warum versteckten sie sich nicht vor ihm? Manche Frauen schienen sich sogar nach vorne zu drängen, damit er sie sehen konnte.

Ängstlich klammerte ich mich an meiner Mutter fest. «Fürchten sie sich denn nicht?» flüsterte ich. «Er ist ein so schrecklicher Geist.»
«Nein», sagte Mutter. «Er hilft. Es gibt keinen Grund, sich zu fürchten. Sein Wesen ist die menschliche Fruchtbarkeit.»
«Ich bin trotzdem froh, daß wir in Sicherheit sind. Hier kann er mich nicht finden.»
«Du wärest überall sicher, mein Kind», sagte Mutter. «Er nimmt nur Frauen, die schon verheiratet sind. Und manche von ihnen sind Frauen, die ein Kind verloren haben, als sie es noch auf dem Arm trugen. Es heißt, daß diese Kinder zu ihnen zurückkehren werden, wenn der Mastop-Kachina zu ihnen kommt und sie berührt.»
Als die Sonne ihren südlichsten Punkt erreicht hatte, kamen die Soyal-Boten. Wir hatten uns in Großmutters Haus versammelt, und mit Federkränzen auf den Köpfen kamen sie einer nach dem andern herein. Jeder von uns bekam eine Gebetsfeder mit einer Schnur. Und Großmutter hängte sie alle an einem Weidenzweig auf, Gebete für die Sonne, die Felder und die Obstbäume, für die Quellen, für Gesundheit und Liebe, für die Häuser und die Tiere. Sie alle vereinigte Großmutter an ihren Zweigen. Am nächsten Morgen zur Gebetsstunde brachten wir sie an den Rand des Kliffs.
Wenn ich daran zurückdenke, scheint es mir, als hätte das Fest kein Ende genommen. Kein anderes wurde so lange gefeiert. Tänze, Geschenke, Kaninchenjagd und immer neue Kachinas, denen wir nachts in der Wärme der Kivas bei ihren Tänzen zuschauten, während sie ihre schönen Lieder sangen, deren Worte wir nicht mehr verstehen konnten. Büffel-Kachinas, Kachinas mit wilden schwarzen Bärten, der gefleckte Mais-

Kachina, Hemis-Kachinas, Koa-Kachinas. Die Ruhelosen mit ihren Hörnern und gezähnten Schnauzen. Langhaarkachinas und so viele andere, daß man sie gar nicht alle kennen konnte. Hunderte von verschiedenen Kachinas gab es, und sie alle waren bereit, uns zu helfen.

Nach dem Soyal dauert es nur wenige Wochen, bis die Powamu-Zeit beginnt. Es war das Jahr meiner Einweihung. Der Neumond war vorbei, und wenn es dunkel wurde, sah man die schmale Sichel des zunehmenden Mondes im Westen untergehn. Die Gebetsstäbe, die Pahos, waren fertig, und der Powamu-Führer hatte die Standarte auf dem Kivadach aufgepflanzt zum Zeichen, daß die Zeremonie begonnen hatte. Und wenn dann auch noch in der unterirdischen Wärme der Kiva die Bohnen gepflanzt waren und die Kachinas sie besuchten, um ihnen beim Wachsen zu helfen, dann kam auch der Tag der Einweihung in den Kachinakult. Alle Hopi-Kinder werden, wenn sie zwischen sechs und acht Jahre alt sind, eingeweiht. Dann kommen die Kachinas mit Geißeln, um uns zu schlagen. Nur Kinder, die in den Powamu-Bund eingeweiht werden, bleiben davon verschont. Es sind aber nicht viele, meistens Jungen, die sich schon früh mit dem geistigen Wissen beschäftigen und besondere Aufgaben übernehmen wollen.

Der Tag der Einweihung rückte langsam näher, und wir fragten einander flüsternd, was uns wohl erwarten mochte. Es werde etwas Schreckliches geschehen, das hatten einige von ihren älteren Geschwistern gehört. Aber viel mehr hatten wir nicht herausfinden können. Ich konnte kaum noch an etwas anderes denken. Grausam kam es mir vor, daß die Kinder, die sonst nie und von niemandem geschlagen wurden, so hart behandelt werden sollten.

«Mutter», sagte ich, «warum werden wir geschlagen?» Ich wußte, daß ich vieles noch nicht wissen durfte, aber vielleicht gab es doch eine Antwort auf diese

Frage, die mir immerzu durch den Kopf ging.
Mutter überlegte lange. Dann sagte sie: «Du kennst die Geschichte aus der Zeit der großen Hungersnot, als Massau-u ständig unter uns war. Wir haben ihn um Gnade angefleht, aber die Fröste im Frühjahr und die Trockenheit im Sommer hielten an, und Massau-u lag auf der Lauer, schlich um uns herum und griff sich, twen er bekommen konnte, Männer, Frauen und Kinder. Viele sind gestorben. ‹Laßt unsere Herzen nicht verzagt sein, denn Verzweiflung ist der stärkste Verbündete von Massau-u›, sagten die Ältesten.»
Ja, die Geschichte kannte ich gut. Ich wußte, wie ein junger Mann das richtige Lied singen konnte, als die Ältesten sich keinen Rat mehr wußten. Und wie er hinuntergehen und den großen, prächtigen Gott Kalako sehen und unser Volk retten durfte. Maiskörner hat er bekommen, von jeder Farbe fünf. Und der Gott hat gesagt: «Pflanze eins für den Wind, eins für die Feldratte, eins für die Kachinas und zwei für dich selber.»
«Du weißt», sagte Mutter, «wie der große Gott Kalako, der Bruder des schrecklichen Massau-u, den jungen Hopi geprügelt hat, um seine Tapferkeit zu prüfen?»
Ich wußte es.
«Und du weißt, was er gesagt hat?»
«Wir sollen sein Fest feiern, das Powamu.»
«Dann weißt du, Polingaysi, warum es notwendig ist, daß unsere Kinder Schläge bekommen.»
«Aber es tut weh. Ich habe Angst.»
Mutter schaute mich mit ihrem ernsten, wissenden Gesicht an. «Du gehörst zum Kojote-Klan, mein Kind», sagte sie. «Wie ich, wie meine Mutter und Großmutter und die Großmütter davor. Du wirst tapfer sein, denn der Kojote ist nicht nur der Narr, den du aus den Geschichten kennst. Er ist auch tapfer. Darum

tragen wir Kojotenfelle bei den Tänzen, und darum ist es Aufgabe unseres Klans, die Führung zu übernehmen, wenn das Dorf in Zeiten der Gefahr beschützt werden muß.»

Ich nickte.

Es war der letzte Klan, der nach Oraibi kam, und erst mit ihm wurde die Zahl vollständig. Vorher hatten die Leute in Oraibi keine Kojoten für ihre Zeremonien, und es fehlten ihnen die heiligen Gegenstände und das heilige Wissen, das der Kojote-Klan besitzt.

Bittere Kälte herrschte auf den Mesas, der Wind fegte über die Wüste, und des Nachts standen unzählige Sterne über uns und schauten auf uns herab. So erwartete ich diesen wichtigen Tag, und wenn mich die Angst überfallen wollte, besann ich mich auf die Worte meiner Mutter.

Ich erwartete das Geißeln wie das Aufgehen der Tür zur Weisheit. Ich war begierig, all die Dinge zu erfahren, die man vor der Einweihung nicht wissen durfte.

Ein großer Tag war es, und ich fühlte mich sehr wichtig, als ich feierlich zwischen meinen Paten zur Kiva ging, die Decke fest um mich geschlagen, um mich vor dem eisigen Wind und der Kälte der Februarnacht zu schützen. Mir schien, als streckten sich die Holme der Leiter nach mir aus, als ich dort ankam. Sprosse um Sprosse stieg ich in die düstere Wärme der Kiva hinunter.

Ich sah die andern Kinder auf dem getünchten Steinsims zwischen ihren Paten sitzen, die Füße zu sich heraufgezogen wie junge Adler, die noch im Nest hocken. Die Jungen saßen auf der Nordseite, die Mädchen auf der Südseite, und alle waren wir nackt unter unsern Decken. Noch bevor ich mich dazusetzte, sah ich die vielen Federn, die mit kleinen Pflöcken in die

Decke gesteckt waren. Adlerfedern, Sperber-, Eulen-, Krähen- und Bussardfedern. Und darunter ein schönes kleines Sandmosaik. Westlich der Feuergrube lag ein Weidenring am Boden, an dem die gleichen Federn befestigt waren.

Es kamen ein paar Jungen die Leiter herunter, die während der vergangenen Nacht in den Powamu-Bund eingeweiht worden waren. Sie trugen eine kleine Feder, die ihnen mit Pinienharz ins Haar geklebt war zum Zeichen, daß sie nicht geschlagen werden sollten. Wie ich sie um diese Feder beneidet habe! Als sie sich gesetzt hatten, entdeckte ich das größere Sandbild. Dort, auf diesem kunstvollen Bild, das die Priester in langer Arbeit gemacht hatten, würde ich stehen, wenn ich geschlagen wurde. Das wußte ich.

Ich begann mich zu fürchten. Alle Kinder waren ängstlich, als der Powamu-Führer kam. Ein alter Mann, nackt bis auf ein Lendenband, stieg die Leiter herunter, stellte sich zwischen der Feuergrube und dem Weidenring auf und sprach uns an, schnell und leise. Aber so aufmerksam ich auch zuhörte, ich konnte nicht all seine Worte verstehen. Singend erzählte er uns die uralte Geschichte der Hopi und ihrer Wanderungen von Anfang an. Er erzählte auch von jener bösen Frau, die fast die ganze Welt verdorben und damit geprahlt hatte, daß sie den Männern so viele Türkishalsbänder für ihre Liebe abgenommen hatte, daß sie eine Leiter ihrer Kiva damit umwickeln konnte bis zu den Holmenden hinauf. Nach dem Lied mußten sich alle Jungen und Mädchen der Reihe nach in den großen Federring stellen. Viermal wurde er am Körper auf und ab bewegt, vom Kopf bis zu den Füßen. Danach trat man aus dem Ring hinaus und wurde sogleich von ein paar Lehmköpfen umringt. Sie hielten Maismütter in der Hand und strichen damit an unsern

Körpern entlang, damit wir wüchsen. Inbrünstig wartete ich auf sie, weil ich so gern wachsen wollte. Das alles geschah in großer Hast, als fürchteten sie eine Strafe, wenn sie nicht rechtzeitig fertig wurden.

Unsere mühsam unterdrückte Aufregung wuchs, und auch die alten Leute, die dabeisaßen, strahlten Erwartung aus.

Dann rannten die Lehmköpfe wieder hinter unsere Paten zurück, und in diesem Augenblick gab es ein furchtbares Getöse. Ich hörte das Geräusch von rennenden Füßen über uns. In unbezähmbarer Wut wurde oben auf die Leiterholme eingeschlagen.

Wir wußten, daß der Augenblick gekommen war, zitterten am ganzen Leib, und unsere Herzen rasten, als wir zur Kiva-Öffnung hinaufstarrten.

In wilder Eile kamen die schwarzen, mit weißen Punkten bemalten Körper von zwei Hu-Kachinas die Leiter herunter, ohne eine Einladung abzuwarten. Ganze Bündel von Yucca-Geißeln hielten sie in den Armen. Sie trugen nichts als ein Lendenband, rote Mokassins, Fuchskragen und eine schwarze Maske mit bedrohlichen Hörnern. Weiße Punkte hatten sie auf den Wangen und die Spur eines Truthahnfußes auf der Stirn. Mit hervorquellenden Augen starrten sie in die Runde. Riesige Mäuler fletschten ihre Zähne, und die schwarz-weiß gestreiften Bärte bebten.

Mit weiteren zartgrünen Geißeln folgte die Krähenmutter. Schwarz und weiße Frauengewänder trug sie, ihr Gesicht war türkisfarben, darin schwarz ein Dreieck und ein Rechteck mit weißen Rändern. Weiße Punkte stellten die Augen dar. Und zu beiden Seiten ihrer Maske war eine große schwarze Krähenschwinge befestigt.

Das Schlagen begann sofort.

Ein kleiner Junge wurde von seinem Paten nach vorne

geführt. Sein nackter Körper zitterte. Eine Hand hob er über seinen Kopf, und mit der andern bedeckte er seine Scham, als er in das große Sandbild trat. Die Peitschen sausten um seinen Körper. Striemen erschienen auf der Haut. Da zog ihn sein Pate heraus und übernahm für ihn den Rest der Schläge.

Die Hu-Kachinas wechselten sich beim Prügeln ab, sie schlugen mit beiden Händen, und wenn die Geißeln verschlissen waren, bekamen sie von der Krähenmutter neue. Man konnte Schläge über den ganzen Körper erhalten oder alle an der gleichen Stelle. Bei einem Jungen, der oft frech zu den älteren Leuten gewesen war, lief das Blut herunter, und ich war froh, daß ich mich immer höflich benommen hatte. Manche Kinder wurden schon nach zwei Schlägen von ihren Paten befreit.

Viele schrien vor Furcht, schon beim Zuschauen, und noch lauter, wenn sie an der Reihe waren. Nein, dachte ich, ich werde nicht schreien. Ich werde tapfer sein.

Ich wünschte so sehr, Krähenmutter würde aufhören, die Geißler anzuspornen, daß sie härter zuschlagen sollten. Es protestierten aber auch Patinnen und Paten, wenn einzelne Kinder geschont wurden.

Als ich in das Sandbild eintrat, das man kaum noch erkennen konnte, war ich froh, daß ich ein Mädchen war und meine Decke anbehalten durfte. Die Schläge, die ich bekam, schmerzten nicht, doch sie taten mir im Herzen so weh, daß ich schluchzend und mit schwachen Knien zu meinem Platz zurückkehrte. Aber geschrien habe ich nicht.

Dann begannen die Geißler, deren Wut noch nicht nachgelassen hatte, sich gegenseitig zu schlagen. Ich atmete auf. Endlich geschah Gerechtigkeit.

Es war vorbei. Der Powamu-Führer entließ die Kachinas mit Geschenken. Zu uns sagte er: «Ich bin euer Vater, aber als Vater habe ich versagt, euch zu schützen, meine Kinder. Es macht mich traurig, daß euch dies alles zugestoßen ist.» Dann begann der Unterricht. Er sagte, wir seien nun an der Schwelle des Wissens. Bald würden wir mehr Geheimnisse lernen. Aber wir dürften den jüngeren Kindern nichts von dem erzählen, was sich ereignet hatte. Und wenn wir es doch täten, sagte er, würden die erzürnten Kachinas Rache üben.

Wie leicht war es, ihm zu gehorchen, wenn ich daran dachte, was ich von nun an lernen konnte. Ich würde kein Geheimnis verraten. «Ihr seid an der Schwelle des Wissens», hatte der Powamu-Führer gesagt. Alles lag vor mir. Und ich war unbeschreiblich glücklich, daß es sich für mich öffnen würde.

Lernen wollte ich. Alles lernen.

Tage voll von wunderbaren Ereignissen folgten, und alles, was ich erlebte, erschien mir in einem andern Licht als in den Jahren, bevor ich eingeweiht war.

Die leuchtende Wintersonne war noch nicht aufgegangen, als von ganz fern ein Lied klang. Ich hatte es noch nie gehört, weil ich in den andern Jahren geschlafen hatte um diese Zeit. Das Lied kam näher. Die letzte Strophe wurde so nah gesungen, daß es in unserm Dorf sein mußte. Dann endete es in einem langen, schweren Seufzer.

Mutter stand schon am Herd.

«Wer singt?» sagte ich.

«Angwúsnasomtaka.»

Der Mann, der eine Krähenschwinge angebunden trägt, unsere Krähenmutter, die weit im Norden an der Schattenquelle wohnt.

«Schnell, steh auf, Polingaysi», sagte Mutter. «Steht

alle auf. Es ist Zeit. Die Sonne geht auf.»
Wir gingen hinaus nach Osten zum Beten. Auf dem Weg nach Hause beeilten wir uns. Wir kamen gerade noch zurecht. Kaum waren wir wieder im Hause, hörten wir schon Schritte. Schüchtern gingen wir zur Tür. Da waren sie. Kachinas. In den Händen trugen sie kleine Bündel von Bohnenpflanzen, mit Yucca zusammengebunden. Eines davon gaben sie meiner Mutter. Für meinen großen Bruder, der krank geworden war und nur mühsam von seinem Lager aufstehen konnte, hatten sie ein Paar Mokassins und einen bemalten Blitzstab, für meine kleinen Brüder eine Kachina-Rassel, wie ich sie früher auch erhalten hatte. In diesem Jahr aber bekam ich eine Kachina-Puppe und einen Flechtteller, die mit einer Bohnenpflanze zusammengebunden waren, wie meine ältere Schwester. Jetzt gehörte ich nicht mehr zu den kleinen Kindern. Glücklich schaute ich mein Geschenk an, das frische leuchtende vielversprechende Grün der Bohnen mitten im Winter.
An diesem Tag gingen wir mit unserer Mutter in die Kiva. Dort in der Wärme kauerten wir uns nieder, eng an die Mutter geschmiegt. Den jüngsten Bruder hielt sie auf dem Schoß.
Dann wurde Chowílawu gerufen. Er lebt mit seiner Schwester, der Krähenmutter, an der Schattenquelle und kommt in jedem Jahr nur ein einziges Mal zu uns. Am Tag der Bohnentänze. Heute. Dreimal wird er gerufen, und beim viertenmal ist er schon da, auf dem Dach der Kiva. So schnell wandert er. Die Männer klettern hinauf. Und dann kommt Chowílawu so schnell die Leiter herunter, daß er kaum die Sprossen zu berühren scheint. Sein Körper ist grau und nackt bis auf ein Lendentuch, sein Gesicht aber schwarz und voll von weißen Schneeflocken. Ein Geräusch von

zusammenschlagenden Eiszapfen begleitet ihn. Es ist sein Gürtel von glänzend poliertem versteinertem Holz, der so klingelt, wenn er sich bewegt. Die Männer singen. Und er läuft nach unten, wo auf der tieferen, der bedeutungsvolleren Ebene das Sandgemälde ist. Er springt auf dem Bildnis auf und nieder, bis es ganz zerstört ist. Dann geht er. Wieder begleiten ihn vier Rufe.

Wir aber warten. Bald werden die Powamu-Kachinas kommen. Um uns die Wärme von vielen Menschen. Manchmal schlafen wir ein. Durch das Loch im Dach der Kiva sehe ich ein Stück Himmel. Er ist dunkel geworden, von einem tiefen blauschwarzen Dunkel, in dem klein und deutlich die unzählbaren Sterne stehen. Von hier beobachten auch die Priester den Stand der Sterne, damit sie wissen, wann es jeweils Zeit ist, zu tun, was sie tun müssen.

Dann hörten wir von oben die klingenden Schritte. Fast nackt und mit langen Haaren kamen sie aus der bitteren Winterkälte zu uns heruntergestiegen, die Kachinas. Stumm stellten sie sich in einer Reihe auf. Ich schaute in ihre Gesichter. Und plötzlich durchlief mich eine Erkenntnis: Jetzt weiß ich, warum sie keine Masken tragen. Jetzt darf ich wissen, daß sie nur Menschen sind, die ihre Rollen spielen und ihrer Pflicht gegenüber unserm Volk nachkommen.

Ich schaute meine kleinen Brüder an. Sie wußten es nicht.

Wie auf ein Zeichen begannen die Kachinas zu singen und zu tanzen.

Nach ihrem Tanz kletterten sie wieder hinauf. Andere kamen, die anders gekleidet waren. Kachinas mit Masken, mit Fellen, mit Hörnern, mit türkisfarbenen langschnäuzigen Gesichtern.

Immer neue Gruppen kamen, tanzten ihren Tanz,

sangen ihr Lied und gingen wieder, um der nächsten Gruppe Platz zu machen, die aus den andern Kivas kamen. Die ganze Nacht lang.

Bahána

Es war vier Jahre später. Ein Fremdkörper, der kaum beachtet wurde, so stand nun oben im Dorf eine rote Steinkirche, die Pastor Voht hatte bauen lassen. Er selber war nicht mehr da. Niemand konnte diese Kirche ansehen, ohne an die Geschichten zu denken, welche die Männer von der ersten Kirche erzählten, deren Bau die Spanier vor langer Zeit erzwungen hatten. Nichts war übrig von ihr, der Sklavenkirche, außer der Erinnerung und den Furchen, die die schweren Baumstämme in den Sandstein der Mesa gegraben hatten. Die Spanier waren vertrieben worden, und nach ihnen hatte man keine Christen mehr geduldet. Erst den Mennoniten gaben die Ältesten die Erlaubnis, in unserm Land zu leben, weil ihre Lehre friedlich ist und sie den Krieg genauso ablehnen wie wir. Pastor Voht hatte zehn Jahre im Tal gelebt und unser Dorf besucht. Kihakaumta nannten ihn die Leute. Einer, der in alten Ruinen gräbt. Zwar hatte er oft gegen den Willen der Priester bei Zeremonien zugeschaut, aber nie war ein Wort der Verachtung gegen unsere Religion über seine Lippen gekommen. Nur Fragen hatte er gestellt und von dem lernen wollen, was wir wußten. Doch eines Tages zeigte es sich, daß er unsere Geheimnisse verraten hatte. Dinge, die niemand wissen durfte, standen plötzlich gedruckt in Büchern. Noch schlimmer war, daß er Photographien gemacht hatte, ohne daß wir wußten, was er tat. Darum mußte er gehen. Und die Mennoniten schickten einen neuen Missionar zu uns.

Wieder sollte Powamu gefeiert werden. Wieder hatten die Priester in geweihtem Sand die Bohnen gepflanzt. Wieder stieg aus den Öffnungen der Kivas der Rauch von den Feuern, wieder bedeckte Schnee die Mesas, und weiß breitete sich die Wüste aus mit ihren vereinzelt aufragenden Felsen. Der Wind trieb noch mehr Schneeflocken um die Häuser. Es war früher Morgen, wir saßen ums Herdfeuer, um uns zu wärmen.

Als der Wind ein wenig nachließ und der Schnee zu fallen aufhörte, nahm ich meinen kleinen Bruder, ging mit ihm hinaus, rannte mit ihm um die Wette, und das Frieren hörte auf. Keuchend und kichernd kamen wir bei den kleinen Felshäusern an, die ich im Sommer gebaut hatte.

«Siehst du? Auf meinen Häusern liegt Schnee.»

«Man muß ein Feuer machen», sagte er. «Es ist kalt da drin.»

Wir versuchten, ein paar Hölzchen zu finden, aber das war schon im Sommer schwierig genug. Jetzt war es unmöglich.

«Komm her», sagte ich, zog meine wollene Schulterdecke aus und legte sie auf den Boden. «Setz dich hin.»

Als er sich auf die Decke fallen ließ, packte ich einen Zipfel und zog sie mit meinem Bruder über den Schnee.

«Schneller! Schneller!» kicherte er, und ich lief schneller.

Plötzlich hörte ich einen Schrei.

«Polingaysi! Komm! Komm schnell!»

Die schrille Stimme meiner Mutter, die ich noch nie anders als leise und gefaßt gehört hatte.

Voller Schrecken ergriff ich meinen Bruder, nahm ihn auf den Arm und lief mit ihm nach Hause. Was mochte geschehen sein? Ich bebte vor Angst, aber mein Bruder gluckste begeistert über den wilden Lauf. Ich weiß noch, wie er zu weinen begann, als Mutter uns entgegengerannt kam und ihn mir aus den Armen riß. Hastig zog sie mich ins Haus.

«Du legst dich hier unters Bettzeug, Polingaysi!»
Starr vor Unverständnis blieb ich stehen.
«Los! Mach schnell!»
«Warum?»
«Tu, was man dir sagt», fuhr Mutter mich an, so barsch, wie ich sie noch nie gehört hatte. Heute morgen sind die Bahánas unterwegs und fangen Kinder ein. Für die Schule.»
Ohne ein Wort stürzte ich durch den Raum und legte mich ganz flach hinter die aufgerollten Decken und Felle. Mutter deckte mich zu. Dann hörte ich, wie sie zur Tür ging.

Kinder einfangen, hatte sie gesagt. Kinder einfangen. Was für ein Wort. Ich dachte an die Spanier, die Kinder als Sklaven verkauft hatten, dachte an die großen Jungen, wie sie Schlingen legten für Kaninchen und nachher den Tieren, die sich darin verfangen hatten, Hals und Füße zusammenbanden, damit sie sie um den Hals hängen und nach Hause tragen konnten. Alles hätte ich gern ertragen, jeden Hunger, die Peitschen bei der Einweihung, ich hätte mich, wäre ich ein Junge gewesen, sogar in den Schlangenbund einweihen lassen, wenn ich mich nur nicht einfangen lassen mußte.
Mein Bruder lag auf seinem Lager neben dem Herd. Lange war er schon krank, und niemand wußte, ob er wieder gesund werden konnte. Im vergangenen Jahr hatten meine Eltern ihn dem Schlangenhäuptling versprochen. Das war der letzte Versuch, ihm seine Gesundheit wiederzugeben, denn die Schlangen sind sehr mächtig. Wenn er wirklich wieder gesund wurde, mußte er in die Bruderschaft eintreten und mit den Schlangen tanzen. Bis jetzt aber hatte es noch nicht geholfen. Ich konnte hören, wie er wimmerte.

Plötzlich eine fremdartige Stimme. Sie sprach unverständliche Worte. Dann Schweigen. Meine Mutter antwortete nicht. Dann hörte ich einen andern Mann. Er sprach Hopi, aber nicht gut.
«Er sagt, ich dir sagen», sagte er, «wir bringen deine Kinder in Schule. Wo sind Kinder?»
«Dieser kranke Junge ist alles, was ich habe, außer den Babies», log Mutter. «Er ist zu krank, um von zu Hause wegzugehen.»
Nun wurde wieder in der fremden Sprache gesprochen, und dann sagte der Übersetzer: «Bahána sagt, der Junge sieht nicht krank aus. Wir nehmen ihn.»
Wie können sie so dumm sein, dachte ich, und so herzlos. Ich hörte meinen Bruder stöhnen, als er sich auf die Füße stellte, aber dann ging er mit den Männern. Hoffentlich muß ich jetzt nicht weinen, dachte ich.
Ich war schon fast plattgedrückt vom Gewicht der Decken, als Mutter mich endlich befreite.
«Oh bitte, Mutter», flehte ich sie an, «laß nicht zu, daß die Männer mich fangen.»
«Wenn sie dich nehmen, nehmen sie dich», sagte sie, und ihre sonst so sanfte Stimme war scharf vor Wut und Hilflosigkeit. «Was können wir tun? Unsere Gefühle sind ihnen gleichgültig. Sie denken nur an das, was sie wollen.»
«Was wollen sie?»
«Daß unsere Kinder in ihre Schule gehen.»
«Schule?» sagte ich. «Was ist das?»
«Du kennst das große Haus, das den Weißen gehört? Unten im Tal? Das ist die Schule.»
«Was machen sie mit den Kindern? Da unten, in dem Haus?»
«Ich weiß es nicht. Aber ich weiß, daß es bei uns nicht üblich ist, die Kinder von ihren Häusern und ihren Müttern wegzureißen.»

«Was für Männer waren das, die die Kinder einfangen?» Ich hatte nur ihre schrecklichen Stimmen gehört.
«Ein weißer Mann, der nicht Hopi spricht», sagte Mutter. «Und Polizisten mit Knüppeln und Pistolen, Navajo.»
Navajo, dachte ich. Warum? Hätten sie keine andern Leute finden können? Es gab niemanden, den wir Kinder so fürchteten wie diese großen Männer mit ihren langen Gesichtern. Stirnen.
Mutter bebte vor Zorn. Das ganze Dorf war aufgebracht vor Empörung und Angst. Nach und nach kamen die Kinder, die der Schulbeamte nicht gefunden hatte, aus ihren Verstecken, drängten sich zusammen in ängstlichen Grüppchen und berieten, wo sie sich beim nächsten Mal verstecken sollten. Wir versuchten uns vorzustellen, welche Schrecken die armen Kinder in der Schule auszustehen hatten. Keiner von uns konnte begreifen, wozu Kinder den ganzen Tag eingesperrt werden sollten.
Eine von meinen Tanten kam zu uns, und bleich vor Entrüstung erzählte sie, was am Morgen geschehen war.
«Ich war bei meiner Schwiegermutter», sagte sie, «um ihr eine Schüssel mit geröstetem Mais zu bringen, weil sie krank ist. Als ich ins Haus zurückkam, war es leer. Meine Mutter, meine Kinder, sie waren weg. Die Kleider, die Decken, alles durchwühlt. Ein Topf zerschmettert am Boden.»
Entsetzt lief meine Tante hinaus, durchs Dorf, über die Mesa, durch den Schnee, um ihre Familie zu suchen. Dann kauerte sie sich nieder, weil sie nicht wußte, was sie tun sollte.
«Da sah ich, wie meine alte Mutter erschöpft um die Biegung des eisigen Pfads gehumpelt kam.»

Schweigend gingen die beiden Frauen nach Hause. Meine Tante wickelte ihre Mutter in ein Fell. Dann erst begann sie zu sprechen.
«Dies ist nicht der gute Bahána», sagte sie. «Mit ihm können wir nicht in Frieden leben.»
Die Männer waren vors Haus gekommen, und als die alte Frau sich wehrte, waren sie mit Gewalt eingedrungen, hatten alles durchsucht, Geschirr zerschlagen und die Kinder aus dem Bett gerissen. Alles mußte schnell gehen. Das Mädchen durfte sich nur eine Decke überwerfen.
«Nicht den Jungen», sagte die alte Frau. «Er ist noch zu klein.»
Er war erst vier Jahre alt.
«Er kann nicht so weit laufen!»
«Dann wirst du ihn tragen», sagte einer der Männer. Er war der einzige, der sprach.
Meine Tante begann zu weinen, als sie daran dachte.
«Und meine Mutter, die selber nicht mehr gut laufen kann, mußte das nackte Kind zur Schule hinuntertragen durch Wind und Kälte.»
Das Mädchen ging barfuß hinterher, angetrieben von den Knüppeln der Männer.
«Denen hat es sogar Spaß gemacht», sagte meine Tante. «Verhöhnt haben sie meine Mutter. Schlechte Menschen. Und die Kinder hatten überhaupt nichts gegessen.»

Ich mochte nicht spielen an diesem Tag. Ich saß zu Hause und schaute meiner Mutter zu, wie sie Piki machte. Ihr Gesicht war undurchdringlich. Das Maismehl hatte sie schon verrührt, und jetzt stand sie am Herd, auf dem der heiße Piki-Stein lag. Stumm tauchte sie ihre Hand in den Teig und verstrich ihn auf dem großen flachen Stein.

«Warum tun sie das, die Weißen?»
«Weil sie unsere Kinder wollen», sagte Mutter, als sie den fertiggebackenen papierdünnen Fladen vom Stein nahm. Sie faßte ihn mit der Hand, faltete ihn einmal und legte ihn auf einen Flechtteller. Dann tauchte sie ihre Hand wieder ein, um das nächste Piki zu backen.
«Und warum wollen sie das?»
«Sie wollen, daß wir leben, wie die Weißen leben. Daß wir denken, wie die Weißen denken. Sie wissen nichts von unserm Leben. Sie glauben, daß wir nichts wissen, weil sie nur das für richtig halten, was sie wissen.»
«Wirklich?»
Konnte es sein, daß diese Menschen es für richtig hielten, wenn sie uns mit Gewalt einfingen? Wußten sie nicht, daß es unrecht war?
«Sie wollen unser Leben zerstören», sagte Mutter. «Sie meinen, daß wir nicht an Gott glauben.»
Die Stimme meiner Mutter klang zornig, und zornig wandte sie sich ab und schwieg.
Ich konnte nicht begreifen, was sie gesagt hatte, denn bei uns gab es keinen einzigen Tag, der nicht mit einem Gebet angefangen hätte. Jeden Morgen ging ich mit meiner Mutter, meinen Schwestern, den Tanten und ihren Töchtern hinaus an den Rand der Mesa, wo sie nach Osten hin abfällt. Zuerst drehen wir uns um und spucken über unsere Schultern, um uns zu reinigen und von dem Bösen zu befreien, das sich im Lauf eines Tages und einer Nacht in uns angesammelt hat. Dann sind wir bereit, dem neuen Tag ins Gesicht zu sehen, und hauchen auf ein wenig Maismehl in unsern Händen, welches langes Leben und Gesundheit bedeutet, bevor wir es der aufgehenden Sonne entgegenstreuen, um es in die geistige Welt zu entlassen. Wenn dann die ersten wärmenden Strahlen der Sonne über den Horizont schlüpfen und uns mit ihren goldenen

Fingern berühren, strecken wir die Arme aus, um die Strahlen zu uns heranzuziehen und sie an unsere Körper zu pressen. Und wenn das Licht das reine Weiß des Tages annimmt, verteilen unsere Hände es dankbar über den ganzen Körper. Dabei atmen wir tief ein und beten, daß uns Schönheit gegeben werden möge im Körper, im Gesicht und im Herzen. So gestärkt, beginnen wir unsere Tage. Und all die alltäglichen Dinge, die wir den Tag über verrichten, müssen mit reinem Herzen getan werden, weil sie nicht nur uns, sondern auch den Göttern, den Geistwesen, den Tieren und Pflanzen dienen. Keiner von uns ißt, ohne vorher zu beten. Und wenn wir uns schlafen legen, beten wir auch.

«Ich will nicht in diese Schule gehen. Nie.»

«Nein», sagte Mutter. «Du wirst ein richtiges Hopi-Mädchen sein und leben, wie wir leben sollen.»

«Und wenn sie mich doch fangen?» Mutter tröstete mich. «Wir werden gut auf dich aufpassen, mein Kind.»

Auf dem Teller hatte sich inzwischen ein kleiner Turm von Piki angehäuft. Dankbar sog ich seinen Duft ein.

Als es auf den Abend zuging, begannen wir daran zu zweifeln, daß irgend jemand die Schule heil wieder verlassen würde. Hätten sie nicht längst zu Hause sein müssen? Immer wieder schauten wir nach ihnen aus. Vielleicht hatten sie sie weggebracht, wie schon viele weggebracht worden waren. Ins Gefängnis oder wer weiß, wohin.

Aber dann, endlich, sahen wir sie. Es war schon dunkel. Durch Schnee und Glatteis kamen sie den Mesa-Pfad heraufgewandert, unverletzt. Wir konnten aufatmen. Es war ihnen nichts geschehen.

Zwei Freunde brachten meinen kranken Bruder zu unserm Haus. Abwechselnd trugen sie ihn auf dem

Rücken. Mutter bettete ihn auf sein Lager, das Gesicht voller Sorge. Sie sagte nichts. Mein Bruder hustete.
«Danke», sagte er, als Mutter ihm ein Stück Piki-Brot und ein wenig Maisbrei brachte.
Er rührte das Essen nicht an.
Später, als Mutter es mit einem kurzen fragenden Blick wieder forttrug, sagte er: «Ich habe in der Schule gegessen.»
Ob das wahr ist? dachte ich. Sie haben Essen in der Schule?
«Du bist heiß», sagte Mutter. «Die Schule macht dich krank.»
Mein Bruder nickte.
Daß die Kinder heil aus der Schule zurückgekommen waren, machte die Sorge im Dorf nicht geringer. Die Polizisten kamen zurück. Immer wieder kamen sie auf die Mesa und schwenkten ihre Knüppel und Gewehre auf der Suche nach Kindern, die noch nicht in die Schule gingen. Einmal hörte ich Schüsse. Schreckliche Dinge wurden erzählt. Mit Gewalt holten die Männer ein Mädchen aus dem Haus ihrer Schwiegermutter. Es war mitten in der Hochzeitszeremonie, gerade bevor das Haar von Braut und Bräutigam gemeinsam gewaschen und dann zusammengewickelt wurde. Die Braut folgte den Männern in stummer Verzweiflung, und als sie in der Schule angekommen war, das Hochzeitsgewand ablegen und statt dessen ein Schulkleid aus Drillich anziehen sollte, weigerte sie sich. Von da an weinte sie ununterbrochen, sprach zu keinem und schlief nicht mehr. So ging es mehrere Tage. Dann erst hieß es, sie müsse nicht mehr in die Schule gehen, weil der Missionar mit dem Schul-Bahána gesprochen habe.
Und mein Bruder durfte zu Hause bleiben, weil sein Husten und sein Fieber schlimmer wurden.

Vater erzählte, wie er ein ganz kleines Kind gesehen hatte, das unten bei den Felsen im Schnee kauerte. Er war mit dem Missionar unterwegs gewesen und noch zu weit weg, um sehen zu können, was geschehen war. Dann sah er, wie die Lehrerin den Weg heruntergerutscht kam und das Kind auf ihren Rücken nahm.
«Wer ist das, die Lehrerin?»
«Eine Bahána-Frau», sagte er, «bei der die Kinder lernen. Ich habe gesehen, wie sie gestolpert ist, gerutscht und gestürzt, bis sie mit dem Kind oben angekommen war. Eine gute Frau.»
Die Tage vergingen, und immer achtete ich darauf, mich nicht zu weit vom Haus meiner Großmutter zu entfernen. Dort hatte sich meine Schwester versteckt, dort sollte auch ich mich in Sicherheit bringen, wenn die Polizei wiederkam. Dann krochen wir beide voller Angst unter die Decken. Aber die Männer kamen nicht bis zu Großmutters Haus.
Kinder, die einmal in der Schule waren, mußten immer hingehen. Wenn sie zu klein waren, um so weit zu laufen, mußten die Eltern sie hintragen und am Abend wieder abholen. Jeden Tag. Nur am siebten Tag war schulfrei, weil dann die Weißen in die Kirche gehen.
Als das stürmische Winterwetter anhielt, behielten manche Eltern ihre Kinder nach dem freien Tag zu Hause. Aber das durften sie nicht. Der Mann mit dem roten Gesicht erschien und drohte, daß man ihnen die Kinder wegnehmen würde, wenn sie nicht in die Schule kämen. Ein paar von ihnen sollten in den Powamu-Bund eingeweiht werden. Sie durften nicht zu Hause bleiben. Nur am Feiertag der Weißen, nicht an unsern Feiertagen. Weinend liefen sie ins Tal hinunter, weil sie nun ein weiteres Jahr auf ihre Einweihung warten mußten.
Ein Junge stürzte auf dem Heimweg und blieb zwi-

schen den Felsen liegen. Er hatte sich das Bein gebrochen. Der weiße Mann fuhr mit dem Pferdewagen vorbei und kümmerte sich nicht darum. Sein Vater schleppte ihn den Berg hinauf. Nach wenigen Tagen war er tot.
Ein älteres Mädchen starb, nachdem es ein paar Wochen krank gewesen war. Sie haben einen Doktor in Keams Canyon, aber er schaute nicht nach ihr. Aus der Schule wurde ein Fläschchen mit Hustensaft und ein Laib schlechtes Brot geschickt.

Die Erwachsenen sprachen kaum noch über etwas anderes als über den Schrecken, welcher sich auf unser Dorf gelegt hatte, das mir bis dahin so friedlich vorgekommen war.
Und während unter der Erde in den Kivas die Powamu-Zeremonien ihren Fortgang nahmen, kämpften die Menschen gegen ihre Angst und gegen ihren Haß. «Wie können wir die Zeremonien in Reinheit durchführen, wenn wir Haß in unsern Herzen tragen?» fragten die Männer einander. «Wie können wir die Röcke und Schärpen in Schönheit weben?»
Sie sagten: «Haß macht dich warm von innen, aber der gute Geist wird dir nicht helfen, wenn du so warm bist. Und wenn wir mit den Weißen streiten, werden wir selber den größten Schaden davon haben. Wir müssen nachgeben, wenn es keinen andern friedlichen Weg gibt. Wir sind keine Zwieherzen. Wir wollen rein bleiben. Wir müssen den weißen Mann selber herausfinden lassen, was er falsch macht, auf seine eigene Weise.»
«Kann man denn nichts tun?» sagte ich. «Gar nichts?» Mutter zögerte mit ihrer Antwort, als überlegte sie, ob sie mir etwas erzählen sollte, was sie wußte. Dann ließ sie sich neben mir nieder und begann zu sprechen.

«Einmal haben wir etwas getan.»
«Du meinst, als die spanischen Priester getötet wurden?»
«Nein, das war zu einer anderen Zeit. Ich meine die Zeit, als deine Schwester klein war. Du warst noch nicht geboren. Es ist nicht das erste Mal, daß sie hier bei uns Kinder einfangen. Schon damals haben sie es getan. Die Schule war neu. Männer in Uniformen sind gekommen und haben die Kinder mitgenommen. Und dann fingen sie an, unten in der Ebene herumzugehen und Latten aufzustellen. Es hieß, daß sie dieses Land, das seit alten Zeiten von den Frauen an ihre Kinder weitervererbt worden ist, neu verteilen wollten. Nicht so, wie es sein muß und wie es die Klane seit altersher verteilt haben, sondern so, wie sie es wollten.»
«Und dann?»
«Sie liefen auf unsern Feldern herum, auf dem Weideland, und wir mußten jeden Augenblick damit rechnen, daß sie in ihrer Unwissenheit heiligen Grund entweihen würden. Und dann unsere heiligen Schreine in der Ebene. Man mußte etwas tun.»
«Was?»
«Die Ältesten haben beraten. Wir sind ein friedliches Volk und müssen es bleiben, haben sie gesagt. Wir dürfen sie nicht angreifen. So sind jedes Mal, wenn der weiße Mann neue Latten aufgestellt hat, ein paar Männer hinuntergegangen und haben sie wieder herausgezogen. Und dann, es war noch vor der Sonnenwende, kamen die Weißen. Bewaffnet. Auf Pferden. Wir haben sie kommen sehen. Unsere Männer haben im Dorf eine Barrikade gebaut, um sie aufzuhalten. Und Häuptling Lololoma ist ihnen entgegengegangen. Unten am Fuß der Mesa hat er zu ihnen gesprochen. Sie dürften nicht ins Dorf hinaufgehen, hat er gesagt. Aber sie haben sich nicht darum gekümmert, sind

weitergeritten und haben die andern Männer, die unten waren, gefangengenommen. Neben jedem Soldaten ein Gefangener, so kamen sie herauf. Mit mächtigen Kriegsrufen haben unsere Krieger sie empfangen.»

«Und dann haben sie gekämpft?»

«Nein», sagte Mutter. Sie atmete tief, als sie an jenen Tag dachte. «Nein. Dann ist es ganz still geworden. Und dann kam Spinnenfrau, die Mutter unserer göttlichen Kriegerzwillinge. Eine uralte Frau. So humpelte sie den Soldaten entgegen, die verwirrt stehenblieben. Jedes Wort, das sie sprach, und jede Bewegung, die sie machte, war eine so entschiedene Warnung, daß kein Mensch sie falsch verstehen konnte. Die Reiter haben es nicht gewagt, auch nur einen Schritt weiterzugehen.»

«Sind sie weggegangen?»

«Noch nicht. Aber dann kam Massau-u. Gesehen habe ich ihn nicht. Wir Frauen sind mit unsern Kindern in den Häusern geblieben. Ich habe die Stimmen gehört. Und nachher haben die Männer erzählt, wie Massau-u mit einer furchterregenden schwarzen Maske erschienen ist. Einen Krug mit Medizin hatte er bei sich, ging langsam an den Soldaten vorbei, tauchte eine Feder in den Krug und spritzte Medizin auf die Männer, einen nach dem andern, und sehr vorsichtig, damit kein Tropfen die gefangenen Hopi-Männer berührte. Dann warnte er die Soldaten, und er tat es noch mächtiger als Spinnenfrau. Sofort müßten sie Oraibi verlassen, wenn er nicht seine Krieger gegen sie schicken sollte. Als er zu Ende gesprochen hatte, schwenkten unsere Krieger hinter der Barrikade ihre alten Gewehre und Pfeilbogen und schleuderten den Weißen Schreie der Herausforderung entgegen, allen voran der Anführer mit seinem alten Kriegsschild und

seinem Helm mit roten Federn, den er über den kampfdrohenden Streifen auf seinem Gesicht trug.
Das war der Augenblick», fuhr Mutter nach einer Weile fort, in der ich atemlos gewartet hatte, «wo die weißen Männer umgekehrt und abgezogen sind.»
Massau-u, dachte ich, der schreckliche Massau-u. Ihm kann keiner widerstehen. Und wenn er uns einmal geholfen hat, kann er uns nicht jetzt auch helfen?
«Aber bald», erzählte Mutter, «es war die Zeit des Niman-Kachina, und die drei ausgewählten Männer waren schon zu ihrer Pilgerfahrt zum Fichtengrün aufgebrochen, da sind die Weißen wiedergekommen. Bei uns im Dorf hatte man es vorher gewußt. Wir hatten Türen und Fenster mit Lehm zugepflastert, um unsere Häuser zu schützen. Wir hatten, was zum Leben notwendig war, zusammengepackt und waren bereit, das Dorf zu verlassen. Und dann, an einem Morgen, als eben die erste der drei Dämmerungen einsetzte und die Nacht sich lichtete, wurden sie unten im Tal gesehen. Da haben wir unsere Kinder aus dem Schlaf gerissen, unsere Bündel genommen und in größter Eile das Dorf verlassen. Zu einem entfernten Punkt der Mesa sind wir gegangen, Frauen und Kinder, begleitet vom Bellen der Hunde. Dort haben wir uns niedergelassen, voller Sorge, denn niemand konnte wissen, was geschehen würde. Auch die Männer haben das Dorf verlassen. Sie stellten sich vor uns auf, mit Körben und Bündeln. Dann hieß es, daß ein weißer Mann mit einem Hopi näherkäme. Nach einer Weile erschien der Hopi auf der Mesa, ein Mann aus Shongopovi. Er sagte, der weiße Mann wolle mit unsern Führern sprechen. Er wurde zurückgeschickt, kam aber wieder mit der Nachricht, daß etwas Schlimmes geschehen würde, wenn sie nicht kämen. Da sind sechs Männer mit ihm gegangen.

Und dann kamen sie alle. Unendlich viele weiße Krieger. Als sie sich Oraibi näherten, trat ihnen der Häuptling der Kriegergesellschaft mit seinem Sohn entgegen. Aber sie ließen sich nicht aufhalten. Sie zogen durchs Dorf und kamen zu der Stelle, wo wir saßen und vor Angst zitterten. Noch nie hatten wir so viele Weiße gesehen. Viele von ihnen hatten eine ganz schwarze Haut. Und Navajo waren auch dabei. Zwei Maschinen auf Rädern führten sie mit sich. So stellten sie sich vor uns auf. Die sechs Männer aus dem Dorf und der Kriegerhäuptling mit seinem Sohn mußten abseits stehen, bewacht.
Dann begann der Anführer zu sprechen. Er sagte, wir sollten unserm Häuptling Lololoma gehorchen und uns ergeben. Er forderte unsere Ältesten auf, mit ihm zu kommen, mit ihm zu rauchen und zu sprechen. Als niemand kam, wiederholte er seine Aufforderung. Schließlich sahen wir, wie sich ein paar Männer aufmachten, zu den bewachten Gefangenen hinübergingen und sich dort niederließen. Danach blieb es eine Weile still. Plötzlich dröhnte ein ohrenbetäubender Knall aus einer der Maschinen. Dann auch aus der andern. Entsetzen, Schreie und eine unbeschreibliche Verwirrung. Rauch und Gestank. Die Weißen blieben ganz ruhig stehen, bis sie plötzlich zum Kliff rannten. Ich sah gerade noch, wie einer der Gefangenen hinuntersprang. Ein Teil der Soldaten kam zurück, die andern verfolgten ihn. Navajo schossen aus ihren Gewehren in die Tiefe hinunter. Aber sie haben ihn nicht gefunden.»
«Was ist dann geschehen?» sagte ich. «Haben sie gekämpft?»
«Nein», antwortete Mutter. «Es waren zu viele. Die Kriegergesellschaft war bereit gewesen zu kämpfen. Aber die andern haben sich durchgesetzt. Es hieß, wir

müßten der Hopi-Tradition treu bleiben, friedlich zu leben. Aber sind wir deshalb verpflichtet, uns das Land wegnehmen zu lassen und unsere Kinder in die Schule der Weißen zu schicken?»
Ich wußte nicht, was ich sagen sollte.
«Danach sind sie weggegangen. Die Gefangenen haben sie mitgenommen und eingesperrt. Auch unsern Häuptling Lololoma, der immer den Frieden mit den Weißen gesucht und ihnen nachgegeben hat.»
«Warum hat Massau-u nicht geholfen?» sagte ich.
Mutter wußte es nicht. Oder sie wollte es nicht sagen.
«Aber jetzt», sagte ich dann, «jetzt könnte er uns helfen, damit wir uns nicht mehr verstecken müssen.»
«Nein. Jetzt kann er uns nicht helfen.»
So ging das Powamu-Fest vorbei. Die Bohnentänze waren getanzt.
Die Winterstürme legten sich. Das Leben hätte weitergehen können, wie es weitergehen muß.

Aber die Navajo gingen weiter auf unserer Mesa umher, und die Angst hörte nicht auf. Unablässig mußten wir auf der Hut sein, immer erst um die Ecke spähen, bevor wir die Straßen unseres eigenen Dorfes hinuntergingen. Wir konnten nicht mehr spielen, wie wir sonst gespielt hatten, frei wie der Wind, der über die Wüste zieht.

Die Erwachsenen waren anders als früher. Sie hatten Angst um ihre Kinder, Angst vor den Weißen und Angst vor den Navajo. Aber das war es nicht allein. Etwas Unheimliches trieb die Menschen um, ein unterdrückter Zorn und eine Feindseligkeit, die uns erschreckte und lähmte.

«Warte, Polingaysi», flüsterte meine Schwester, als wir von Großmutter nach Hause zurückkamen und drinnen die Stimme von Onkel Sinoyva hörten. Er sprach leise, aber wir haben doch verstanden, was er sagte.

«Lololoma», sagte er. «Es ist seine Schuld. Er hat den Bleistift genommen. Wenn er sich damals geweigert hätte, müßten unsere Kinder jetzt nicht in die Schule der Weißen gehen. Er hat sein Wort gegeben gegen unsern Willen.»

Onkel Sinoyva machte eine Pause, in der ich hörte, wie Mutter mit irdenen Vorratstöpfen hantierte. Ihr unermüdliches Rühren im Maisbrei. Niemand sprach.

Dann sagte Onkel Sinoyva zu seiner Schwester: «Und Tewaquaptewa ist in seine Fußstapfen getreten. Er hat kein Recht mehr darauf, daß wir ihm folgen.»

Tewaquaptewa, unser Häuptling, der Vater in unserm geistigen Haus. So hatte Mutter gesagt. Und jetzt? Was mochte geschehen, wenn unser Onkel sich gegen ihn wandte?

«Komm», flüsterte meine Schwester. Ihre schwarzen Augen starrten in den Staub. So leise wir konnten, schlichen wir uns davon. Ich griff nach ihrer Hand, weil ich Angst hatte, und ihre Hand zitterte auch. Was sollte aus dem Frieden in unserm Dorf werden, wenn die Erwachsenen sich nicht mehr einig waren? Wir dachten das gleiche und schwiegen. So gingen wir den Hügel hinauf.
«Vorsichtig, Polingaysi», sagte sie. «Denk an die Polizei.»
Sie hatte recht. An die Worte von Onkel Sinoyva hatte ich gedacht und die Polizisten vergessen. Ich setzte mich auf einen Felsblock und wühlte mit den Füßen im Sand.
«Nicht hier», sagte Duvangyamsi.
Wir gingen weiter, um einen versteckten Platz zu suchen. In diesem Augenblick wünschte ich mir, daß es vorbei wäre. Wäre es nicht das beste, dachte ich, wenn ich mich einfach erwischen ließe? Einfangen wie ein Kaninchen? Dann müßte ich mich nie wieder verstecken, denn wer einmal in die Schule geht, geht immer in die Schule. Ich sah mich nach meiner Schwester um und fragte mich, ob sie das gleiche dachte. Sie sah nicht so aus, und ich hoffte, daß sie meine Gedanken nicht erraten konnte. Unauffällig nickte sie mit dem Kopf zu einem Felsvorsprung hinüber, unter dem es einen geschützten Winkel gab.
Nein, dachte ich. Ich will mich nicht verstecken.
Da hörte ich einen Schrei, den langgezogenen Schrei einer hohen Stimme. Das war das Zeichen. Unten im Dorf hatte jemand die Polizisten gesehen. Ich vergaß all meine Gedanken. Ich rannte davon, zum Haus unserer Großmutter, so schnell ich nur konnte, ohne auf meine Schwester zu warten.
«Versteck mich!» schrie ich. «Versteck mich!» Und ich

stürzte ins Haus, nur ein paar Schritte vor meiner Schwester und zwei andern Mädchen aus dem Dorf, die noch nicht erwischt worden waren.
«Sch!» sagte Großmutter streng, nahm mich bei der Hand und führte mich hinein. «Hast du vergessen, wie man sich als Hopi benimmt? Man schreit nicht. Sei ruhig. Hier bist du sicher.»
Es war der Raum, in dem die Berglöwin und ihre Jungen neben der großen Piki-Schale kauerten. Rasch nahm Großmutter die Schale weg. Darunter war ein loser Fußbodenstein. Und darunter die alte Kiva der Regenmacher. Ein Schauder lief mir über den Rücken, als die alte Frau mich beim Arm nahm. Noch nie war ich dort unten gewesen. Sonst hatten wir uns oben versteckt. Undurchdringliches Schwarz starrte mir entgegen, und ein modriger Geruch quoll mir in die Nase und in den Kopf, bis er ihn zu sprengen drohte. Mit der linken Hand hielt ich mich am steinernen Rand des Fußbodens, mit der rechten an Großmutters warmer Hand, tastete mit den Zehen nach einem Halt, bis ich erdigen Boden unter den Füßen fühlte. Dann ließ Großmutter oben meine Hand los. Ein Spinnengewebe streifte meine Nase. Starr vor Grauen hörte ich, wie sich die andern Mädchen zu mir in die Dunkelheit herunterließen. Dann legte Großmutter den Stein an seinen Platz zurück. Wortlos hockten wir am Boden und atmeten die uralte Luft, welche die Spinnen und anderes Getier für uns übriggelassen hatten. Wir wagten uns nicht zu bewegen, während die Geister der Regenmacher in den Winkeln raschelten.
Bitte verzeiht mir, wenn ich euch störe, dachte ich, denn ich wußte nicht, ob sie mir zürnten oder ob sie bereit waren, mich zu beschützen, weil ich in Not war. Allmählich gewöhnten unsere Augen sich an die Dunkelheit. Ein winziger Lichtstrahl, der durch den Luft-

schacht hereinkam, machte die andern Mädchen sichtbar, die sich schweigend zusammenkauerten und ihre Augen senkten aus Angst, die Ruhe der Geister zu stören. Aber es blieb still. Nichts geschah. Da erst kam es mir wieder in den Sinn, warum wir in diesem düsteren Raum waren. Beim Gedanken an die Polizisten begann ich zu zittern. Jeden Augenblick glaubte ich zu hören, wie an die Tür gehämmert wurde, barsche Stimmen, ein Handgemenge, laute Schritte und dann das Zurückschieben des Fußbodensteins. Entsetzt stellte ich mir vor, wie es wäre, schreiend aus der schützenden Dunkelheit herausgezerrt zu werden. Aber nichts war zu hören. Keine Stimmen. Keine Schritte.

Dann, ohne daß wir sie hätten kommen hören, schob Großmutter den Stein beiseite und half uns heraus.

Sie war zornig. Ihre schwarzen Augen waren heiß vor Haß, ihre dünnen Lippen zusammengepreßt.

«Sie haben es gewagt, in mein Haus zu kommen», murmelte sie. «Diese Navajo! Weggestoßen haben sie mich, als ich versucht habe, sie zurückzudrängen. Und dieser fette Weiße. Der mit den weißen Haaren, die ihm aus dem Gesicht herausstehen. Er hat ihnen zugesehen und nichts gesagt. Ich glaube, er hat gehofft, sie würden mich schlagen.» Einen Augenblick atmete sie schwer, während wir uns den Staub von den Kleidern klopften. «Sie sind weg», sagte sie dann. «Aber sie werden wiederkommen. Sie werden euch erwischen. Irgendwann.»

Sie hatte recht. Schon am nächsten Tag, als meine Schwester am Hang mit ihren Freundinnen spielte, wurde sie eingefangen und in die Schule gebracht. Als sie am Nachmittag nach Hause kam, hatte sie ein neues gestreiftes Baumwollkleid an. Ich tat so, als hätte ich es nicht gesehen. Niemand sagte ein Wort darüber. Aber in meinem Innern zuckte die Neugier. Das Kleid sah sauber aus, neu und schön. Zu gern hätte ich gewußt, wie es sich anfühlte und ob es warm war wie unsere Kleider aus wollenen Decken.

Während ich zu Hause Gleichgültigkeit vorspielte, lief ich zu einer Freundin, die schon seit drei Tagen in die Schule ging, und fragte nach ihrem neuen Kleid.

«Darf ich es anprobieren?»

Ich durfte. Wir liefen hinters Haus, wo uns keiner sehen konnte. Ich zog mein Kleid aus. Sie zog ihr Kleid aus. Und dann, ganz vorsichtig, als wäre es etwas Zerbrechliches, zog ich mir das ungewohnte Drillichkleid über den Kopf. Es dauerte lange, bis ich damit fertig war. Das Kleid reichte mir bis zu den Knöcheln, weil ich kleiner war als die meisten.

«Oh», sagte ich und sah voller Überraschung an mir herunter. Plötzlich fühlte ich mich erwachsen. Mit den Händen betastete ich den Stoff und strich über seine Falten. Weich war er. Nicht rauh wie die Wolldecken, die bei uns die Männer an den eiskalten Wintertagen weben. Ganz sanft berührte ich das Kleid, weil ich Angst hatte, es schmutzig zu machen.

«Es gefällt mir», sagte ich, als ich es wieder auszog und meiner Freundin zurückgab. «Tun die Weißen euch etwas? Da unten in diesem großen Haus?»

Meine Freundin schüttelte den Kopf. «Nein», sagte sie. «Wir sitzen auf einem Sitz und machen Zeichen.»

«Zeichen?»

«Ja, Zeichen. Wir lernen, was sie bedeuten.»

«Und sonst?»

«Wir spielen auf dem Schulhof. Manchmal müssen wir bei der Arbeit helfen. Und wenn Vater Sonne ganz oben steht, geben sie uns Essen.»

«Essen? Wirklich?» Es gab nichts, worüber ich lieber

sprach als über Essen. «Was für Essen? Nu-qui-vi? Piki? Som-ev-i-ki?»
Da schüttelte sie den Kopf. «Bahána-Essen», sagte sie. «Ich weiß nicht, wie es heißt.»

Am nächsten Tag kam es mir vor, als wären alle Kinder außer mir in die Schule gegangen. Keine von meinen Freundinnen, mit denen ich sonst gespielt hatte, war da. So ging ich allein vors Haus, suchte Steine und begann, kleine Felshäuser zu bauen, Häuser, in denen meine Puppen, die Vater mir aus Hammelknochen schnitzte, wohnen konnten. Aber es machte mir keine Freude, dürre Zweige für die Dächer zu suchen, wenn ich es allein tun mußte. Ich begann mit anderen Spielen, aber keins von ihnen freute mich. All die einfachen, alltäglichen Beschäftigungen hatten ihren Sinn verloren. Meine Gedanken waren unten, am Fuß der Mesa, in der Schule.
«Ich sollte glücklich sein», sagte ich zu mir, «weil ich nicht in die Schule muß. Aber ich bin nicht glücklich.»
Langsam ging ich von unserm Haus weg, Schritt für Schritt, immer weiter, bis ich von unten die Stimmen der Kinder hören konnte. Dort setzte ich mich auf einen Stein. Ich hörte, wie sie auf dem Schulhof spielten. Sie klangen glücklich.
Mutter hatte mir verboten, den Pfad ins Tal hinunterzugehen, aber ich tat es doch, ich schlich mich nach unten, drückte mich rasch hinter Steine und Büsche, wenn ich jemanden aus dem Dorf den Weg heraufkommen sah, und dann schlenderte ich weiter, näher und immer näher zum Schulhaus. Still lag es in der Sonne, und kein Mensch war zu sehen.
Ich dachte daran, wie mein Vater gesagt hatte: «Die Lehrerin ist eine gute Frau.» Und wenn er etwas sagte, konnte man sich darauf verlassen.

Als die Kinder wieder herauskamen, spielte ich ganz in der Nähe neben einem Felsblock, der aus der Talsohle aufragte. Zwei von meinen Freundinnen sahen mich und kamen herbeigerannt. Schnell wie eine Eidechse versteckte ich mich vor ihnen. Ich hörte mein Herz klopfen. In diesem Augenblick wußte ich, was ich tat. Ich wußte, daß ich all die Angst und Aufregung und all die Einsamkeit nicht länger aushalten konnte. Ich wußte, daß mich niemand gezwungen hatte, herunterzukommen. Ich wußte, daß ich es aus meinem eigenen freien Willen tat, wenn ich in dieses Schulhaus ging. Ich wußte, daß ich meine Freiheit verlor. Und ich wußte, daß meine Mutter sehr zornig auf mich sein würde.

Da gab ich meinem Wunsch nach, mit meinen Freundinnen zusammenzusein, und meinem Wunsch, etwas ganz Neues zu erfahren. Ich war bereit, den Preis dafür zu zahlen. Ich kam hinter meinem Stein hervor und ging zu den beiden Mädchen, die geduldig auf mich warteten. Sie nahmen meine Hände, und zwischen ihnen ging ich, sehr, sehr langsam, zum Schulhaus.

Eine Glocke schellte. Die Kinder stellten sich auf und gingen der Reihe nach an der Küche vorbei, wo jedes eine Schale mit Sirup bekam, ein Stück Schiffszwieback und eine Blechtasse mit Wasser. Von weitem sah ich ihnen zu, wie sie aßen und tranken. Ich hatte noch nie Sirup oder Zwieback gesehen und hätte zu gern gewußt, wie das schmeckte, obwohl es ungewöhnlich aussah. Dann schellte die Glocke wieder, und sie stellten sich auf, um ins Schulhaus zu gehen. Der weiße Mann mit dem roten Gesicht und dem weißen Backenbart, von dem Großmutter erzählt hatte, stand neben der Tür, die haarigen Hände in die Hüften gestemmt. Ich versuchte, mich an ihm vorbeizuschlei-

chen, aber er hielt mich an. Mein Herz schlug wie eine Trommel, als er mit einem älteren Mädchen sprach.
«Er sagt, ich soll dich mitnehmen und saubermachen», sagte sie, nahm meine Hand und führte mich in einen Raum, in dem die Luft nach gutem Holz roch und nach etwas Feindseligem, was ich nicht kannte. Ein großer Bottich war in dem Raum. Das Mädchen goß Wasser hinein und sagte, ich solle mich ausziehen. Dann half sie mir in den Bottich, seifte mich mit sehr viel Seife ein, schrubbte mich von Kopf bis zu den Zehen, spülte mich ab und rieb mich dann trocken. Sie lachte, während sie das tat, aber ich war zu beklommen, um zu lachen. Die ganze Zeit hoffte ich, nachher eins von den schönen Kleidern zu bekommen. Und wirklich, sie gab mir eins. Es war groß, aber nicht so groß wie das meiner Freundin. Mein Wollkleid rollte sie auf und band es mit der Schärpe zusammen.
«So, jetzt geh in die Schule», sagte sie.
Ich konnte nicht mehr zurück. Meine Angst vor der Schule wurde wieder übermächtig. Ich rührte mich nicht.
«Dort werden sie dir sagen, was du tun sollst», sagte sie.

Der Lehrer mußte auf mich gewartet haben. Als ich an der Tür stehenblieb und zögerte, kam er zu mir herüber, nahm mich am Arm und brachte mich hastig zu einem Pult, an dem schon zwei Mädchen saßen. Meine Schwester war nicht zu sehen. Der Lehrer schob mich in die Bank, ein dünner junger Mann mit eiskalten Augen. Nicht die freundliche Lehrerin, die ich erwartet hatte. Seine Stimme klang barsch, als er zu mir sprach. Daß ich nichts verstehen konnte, schien ihm gleich zu sein. Ein Stück Papier und einen Bleistift bekam ich. Dann wandte er sich ab.

Das Mädchen neben mir flüsterte: «Mach Zeichen wie die, die er macht.»
Der Lehrer warf einen Blick zu ihr herüber, als hätte sie etwas Verbotenes getan. Dann wandte er sich der schwarzen Wandtafel zu und begann, weiße Zeichen darauf zu machen. Die Zeichen, wenn man sie alle zusammennahm, hießen «Katze», aber das wußte ich nicht. Ich machte sie nach, so gut ich konnte, bis das Papier auf beiden Seiten voll war. Meine Zeichen waren schwarz. Ich weiß noch, wie sinnlos sie mir vorgekommen sind. Wenn bei uns die Männer Zeichen in die Felsen ritzen, hat jedes einzelne von ihnen eine Bedeutung. Man muß nicht so viele machen, die dann doch nur ein einziges Wort bedeuten.
Ich wagte mich kaum umzusehen. Erst als alle aufstanden, weil die Schule zu Ende war, schaute ich die andern Kinder an. Es waren ganz kleine dabei, die erst vier Jahre alt sein mochten. Und manche waren gar keine Kinder mehr, sondern schon erwachsen. Junge Männer, die eigentlich arbeiten sollten.
Als ich dann mit ein paar andern Kindern zwischen den Felsen wieder auf die Mesa hinaufstieg, war ich voll von bösen Vorahnungen. Was würde meine Mutter sagen? Sicher hatte sie sich gewundert, wo ich geblieben war, und sich Sorgen um mich gemacht. Ich blieb hinter den andern Kindern zurück, oben auf der Mesa machte ich Umwege, zog meine bloßen Füße über den Boden und blieb immer wieder stehen, um den Augenblick hinauszuzögern, in dem ich alles sagen mußte.
Als ich endlich ankam, war meine Schwester schon lange zu Hause. Vier Augenpaare sahen mir entgegen, die von meinem kranken Bruder traurig und vorwurfsvoll, die von meiner Schwester groß vor Aufregung, die von meiner Mutter sorgenvoll. Und warm und voller Liebe

die Augen von meinem kleinen Bruder. Gleich bei der Tür blieb ich stehen. Mutter begann zu sprechen.
«Ich habe überall nach dir gesucht.»
Dann sagte sie: «Wer hat dich in die Schule gebracht? Der Bahána ist den ganzen Tag nicht im Dorf gewesen. Wo haben sie dich gefangen?»
Ich ließ meinen Kopf hängen und drückte das aufgerollte Wollkleid an meine Brust.
«Ich bin selber hingegangen.»
«So! Du eigenwilliges, ungezogenes Mädchen! Du hast einen Schritt in die falsche Richtung getan. Einen Schritt weg von deinem Volk. Ka-Hopi. Du hast uns Kummer gemacht. Mir, deinem Vater und deinen Großeltern. Jetzt mußt du jeden Tag in die Schule gehn. Das hast du dir selber zu verdanken. Und es gibt keinen Weg zurück.»
Mutter wandte ihren erzürnten Blick von mir ab. Ich stand in der Tür, und Trauer ergriff mich. Meine Mutter hatte mich verurteilt, weil ich mich für eine neue Lebensweise entschieden hatte. Ich ließ mein Bündel fallen und lief hinaus, über Staub und Geröll, bis an den Rand der Mesa, um dort, wo die Sonne schon unterwegs war auf ihrem Weg in die Nacht, meine Tränen der Reue in Einsamkeit zu vergießen.

In der Nacht, als ich unter meinen Decken lag und nicht schlafen konnte, sah ich mich, wie ich sehr klein in dem neuen Kleid auf dem Dorfplatz stand, mitten in einem Kreis von würdevollen Frauen und nachdenklichen Männern. Alle waren mir zugewandt. Keiner sah mich an. Ich wußte, was sie dachten. Ka-Hopi. Und aus den Kivas unter dem Boden war das Stampfen der Wesen zu hören, die tanzten, um unser Leben zusammenzuhalten, welches von Generation zu Generation weitergereicht wurde.

Am Morgen verließ ich, noch vor meiner Schwester, schweigend das Haus. Ich war bereit, auf dem Weg weiterzugehen, den ich gewählt hatte, und ich fürchtete mich davor. Und so blieb es, jeden einzelnen Tag. Nur am siebten Tag, den die Weißen Sonntag nennen, war keine Schule. Dann folgten die Kinder den Männern auf die Felder oder sammelten Kräuter mit ihren Müttern, wie sie es immer getan hatten.
«Wo ist die Lehrerin, die im Winter hier war?» fragte ich die andern Kinder.
«Weggegangen.»
«Warum?»
Sie wußten es nicht. Sie erzählten, wie die Lehrerin sie in ihr Zimmer eingeladen und ihnen ihre Schätze gezeigt hatte. Und eines Tages war sie nicht mehr gekommen.

Einen Mann wie den Lehrer hatte ich noch nie gesehen. Er hatte die Angewohnheit, uns so lange anzustarren, daß wir nicht mehr aus und ein wußten. Wir schämten uns für ihn, weil er etwas tat, was ein anständiger Mensch unter keinen Umständen tut. Er schien es nicht zu wissen. Sogar wenn er es einmal freundlich meinte, starrte er uns an. Ich glaube, er wollte uns dazu verleiten, daß wir ihn auch anstarrten. Es schien etwas an unsern gesenkten Blicken zu sein, das ihn reizte. Es machte ihn wütend. Er meinte dann, daß wir nicht aufpaßten, und stellte uns ganz plötzlich, oft mitten im Satz, zur Rede.
Und er hatte noch eine Angewohnheit, über die wir uns wunderten. Oft wies er, wenn er einen von uns aufrief, mit dem Finger auf ihn. Vielleicht, dachte ich, hat er den Namen vergessen. Vielleicht hat er ein schlechtes Gedächtnis, obwohl er ein junger Mann ist. Aber ist das ein Grund, den Arm auszustrecken und

mit dem Finger auf einen Menschen zu weisen? Kein Hopi würde das je tun.
Und dann sprach er, der eine zwar dünne, aber schrille Stimme hatte, die man überall sehr genau hören konnte, überaus laut. Und wenn nicht sogleich jemand antwortete, dachte er, wir hätten ihn nicht gehört, und ließ seine Stimme noch lauter werden. Bei uns ist es üblich, daß man erst nachdenkt, bevor man spricht. Aber wir fürchteten, er werde gleich zu schreien anfangen, und so ließen wir unsere Finger in die Höhe schnellen, auch wenn wir nicht wußten, was wir antworten sollten. Wenn wir uns alle meldeten, war die Aussicht größer, daß jemand anders drankam und der Lehrer nicht merkte, daß wir seine Fragen nicht beantworten konnten.
Während der Stunde zitterten wir. Aber in der Pause, wenn wir unser Essen geholt, andächtig gekaut und alles heruntergeschluckt hatten, dann lachten wir darüber.
«Die Weißen sind eben so», sagten wir.
Ich konnte nicht begreifen, warum er so laut sprach, denn wir waren es gewöhnt, den leisen Anweisungen unserer Eltern zu folgen. Und noch weniger konnte ich begreifen, warum er die Kinder bestrafte. Es kam vor, daß ein paar von den größeren Jungen, deren Eltern die Schule ablehnten, seine Anordnungen nicht befolgten. Sie mußten eine unerbittliche Rache über sich ergehen lassen. Während wir alle bleich und mit klopfenden Herzen in unsern Bänken saßen, wurden sie mit Stiefeln getreten und ins Gesicht geschlagen.
Der andere Bahána, der Mister Ballinger hieß, schlug die Kinder im Eßsaal. Wir mußten zusehen, wie sein Stock auf den Rücken der Jungen zerbrach. An solchen Tagen konnte ich keinen Bissen essen.
Die Eltern waren empört, als das im Dorf bekannt

wurde. Sie glaubten nicht an körperliche Züchtigung. Es gab nur rituelle Schläge in der Kiva, zur vorgeschriebenen Zeit und durch die richtigen Personen, wenn die Kinder eingeweiht werden und ihre Paten dabei sind, um die Züchtigung zu teilen als Beweis für die Verantwortung der Erwachsenen. Dann und nur dann war Peitschen erlaubt und sogar notwendig. Einmal im Leben. Aber öffentlich gezüchtigt zu werden, in der Schule, das war eine Schande für das Kind und für die Eltern.

Wenn ich nach Hause kam, erzählte ich meiner Mutter von den neuen Wörtern, die ich in der Schule gelernt hatte.

Zuerst wollte sie sie nicht hören. Dann gab sie nach. Mit einem Holzsplitter schrieb ich sie in den Sand.

«*Amerika*», sagte ich.

«Amerika», wiederholte meine Mutter, als sie meine krummen Buchstaben anschaute. «Was ist das?»

«Das Land, in dem wir leben.»

Mutter sagte, das sei der falsche Name. Hopi Tusqua, dachte sie. «Wisch es weg», sagte Mutter so leise, daß ich es sogleich tat.

Statt dessen schrieb ich: «*Adler*».

Mutter sah mich kurz an, schaute dann wieder weg und lächelte unmerklich. Das hieß: Kein Adler.

Ich wollte noch viele Wörter lernen. Es kam mir nicht darauf an, welche es waren. Ich wollte alles lernen. Wenn es nur nicht so schwer gewesen wäre. Meine Hände gewöhnten sich nur langsam ans Schreiben. Aber ich übte unermüdlich, und wenn der Lehrer eine Frage stellte, meldete ich mich.

Schrecklich war es, wenn man an die Wandtafel gehen und etwas aufschreiben mußte. Selbst wenn ich es wußte, hatte ich es vergessen, bevor ich mich aus der

Bank herausgearbeitet und die sechs Schritte nach vorne zurückgelegt hatte. Mein Herz klopfte zu laut. Da stand ich dann, tief beschämt. In meinen Beinen zuckte es, weil sie weglaufen wollten. Das geht nicht, sagte ich zu meinen Beinen. Dann wollten sie, daß ich mich zusammenkauerte, gleich da, auf der Stelle, wo ich stand, mich verstecken und mir die Ohren zuhalten, damit mich keiner sieht. Aber man muß stehenbleiben und antworten, wenn man gefragt wird. Es kann so schlimm sein, wie es will, man bleibt stehen, man antwortet, und man weint nicht.
Ich habe es so gewollt, sagte eine Stimme in mir. Ich kann nicht umkehren. Und kein Mensch wird mich weinen sehen.
Von weitem hörte ich die Stimme des Lehrers.
Es stimmt ja gar nicht, sagte ich zu mir. Ich habe es zwar gewollt, aber ich habe es nicht so gewollt. Wie hätte ich wissen können, daß es so ist?
«Antworte!» sagte der Lehrer.
«Ja», sagte ich. Aber ich hatte seine Frage nicht verstanden. Manche Fragen verstand ich schon. Die meisten aber nicht.
«Nun, das freut mich», sagte der Lehrer mit einem Lächeln, das ausgesprochen unfreundlich aussah. Es war noch viel unfreundlicher als sein gewöhnliches Lächeln, das sehr selten war und nichts Freundliches an sich hatte. Seine Stimme klang jetzt drohend. Oder höhnisch. Ich konnte das nicht genau unterscheiden, weil er ein weißer Mann war. Jedenfalls wartete er auf etwas und sah mich lauernd an.
Was war es, das ihn freute? Daß ich ja gesagt hatte?
Meine Nachbarin flüsterte mir etwas zu. Auch das habe ich nicht verstanden. Es war so leise. Aber der Lehrer hatte es gehört. Er trat auf sie zu, holte mit seinem Lineal aus und schlug auf den Tisch. Der

Knall war so laut, daß mir der Atem im Hals steckenblieb. Ich war überzeugt, daß er eigentlich meine Nachbarin schlagen wollte und sie aus irgendeinem Grund verfehlt hatte. Er preßte seine weißen Lippen aufeinander und starrte mich an. Das dauerte eine Weile. Plötzlich machte er zwei schnelle Schritte auf mich zu, und ich duckte mich, obwohl ich es nicht wollte, denn ich wollte stehenbleiben und mir nichts anmerken lassen. Ich konnte nicht anders, weil es so schnell ging. Er packte mich bei den Schultern, griff mich mit seinen Krallen, riß mich hoch und auf die Seite, und ich dachte, jetzt wird er mich schlagen. Aber er warf mich auf meine hölzerne Sitzbank, die eingeklemmt war zwischen dem Pult davor und dem Pult dahinter. Und dann begann er mit aufgebrachter Stimme zu reden, wobei er sich immer wieder mit seinem Lineal gegen die Hosennaht schlug und dann im Schulzimmer auf- und abzugehen begann. Kein Wort habe ich verstanden. Erschöpft folgte ich ihm mit den Augen, aus den Augenwinkeln, nach links, nach rechts und wieder nach links. Aber zu mir kam er nicht mehr.

Jeden Tag konnte ich Mutter etwas Neues zeigen. Sie schüttelte den Kopf angesichts der vielen englischen Wörter, die ich in der Schule lesen, aussprechen und schreiben lernte. Sie glaubte nicht, daß es gut war. Aber sie glaubte, daß ich nun Englisch könne. War ich nicht schon lange genug in die Schule gegangen? Wenn ich ihr erzählt hätte, daß ich nur selten verstand, was der Lehrer sagte, sie hätte es nicht geglaubt. Ich wollte nicht, daß sie es wußte. Mutter würde sagen, daß man bei uns schneller lernt.
Dann bekamen wir neue Namen. Die Weißen können sich unsere Namen nicht merken. Sie verstehen ihre

Bedeutung nicht. Schon mein Vater Koyawayma wurde, wenn er in der Mission arbeitete, Freddie genannt. In der Schule gaben sie mir ein Schild aus Pappe, das man mit einem Band umhängen konnte. Darauf stand mein neuer Name: Bessie. Auf dem Schild meiner Schwester stand Anna. So kamen wir nach Hause.

Für unsere Mutter und die Großmutter war das ein weiterer Beweis dafür, wie gefühllos die Weißen waren. Mutter tastete das Pappschild mit ihren starken Händen ab.

«Als Hopi hast du dein Leben begonnen», sagte sie. «Du bist getauft. Dein wahrer Name ist Polingaysi. Das wird immer dein Name sein.»

Dann sprach meine Großmutter. «Ich habe dich nach der Geburt aufgenommen», sagte sie. «Ich habe deinen warmen Körper gegen meine bloßen Beine gehalten. Ich habe dir deine erste Maismutter gegeben. Ich habe deine kleinen Ohren durchbohrt. Zwanzig Tage lang habe ich für dich gesorgt, wie es die Tradition vorschreibt. Dein wahres Heim ist das Haus, in dem du geboren bist. Hier ist deine Nabelschnur an einen Rührstab gebunden und in die geflochtene Decke des Zimmers gesteckt worden, wo du aus der Dunkelheit des mütterlichen Schoßes herausgekommen bist in das warme Dunkel deines ersten äußeren Heims. Hier sind deine Wurzeln. Ich war es, die dich Polingaysi genannt hat: Schmetterling, der zwischen Blumen in der Brise sitzt. Es ist ein schöner Name. Er paßt zu dir. Du gehörst zum Kojote-Klan wie deine Mutter, aber du bist eine Tochter der Kachinas, von denen dein Vater stammt, und das kann jeder Hopi schon deinem Namen ansehen. Dieser alberne Name, den dir die Weißen gegeben haben, bedeutet nichts.»

Mir wurde sehr feierlich zumute bei dieser leidenschaftlichen Rede meiner Großmutter. Mit einer Lie-

be, welche nichts hätte erschüttern können, sah ich in ihr runzliges Gesicht.
«Ich bin Polingaysi», erklärte ich. «Ich werde immer Polingaysi sein. Aber wenn die Weißen mich Bessie nennen, dann werde ich so tun, als hätte ich meinen richtigen Namen vergessen.»

Bessie

In jenem Jahr begann es, daß ich nicht nur Polingaysi war, sondern auch Bessie. Bessie sitzt in der Eisenbahn, achtzehn Jahre alt, mit neuen Kleidern, wie weiße Frauen sie tragen. Bessie kann rechnen und schreiben. Sie kann Wäsche waschen, wie es die Weißen machen, Unterwäsche flicken, Strümpfe stopfen. Bessie kann Apfelkuchen backen, Kartoffeln und Reis kochen und manches andere, was es bei Polingaysi zu Hause nicht gibt.
Ich, der Schmetterling, der zwischen Blumen in der Brise sitzt, denkt Bessie. Oder bin ich erst jetzt, seit ich Bessie bin, der Schmetterling geworden, der ich sein sollte? Bin ich nicht wie ein Schmetterling aus der Puppe ausgebrochen aus der Enge und der Not meiner Kindheit? Bessie weiß, wie die Menschen auf der Mesa über das denken, was sie gelernt hat. Ka-Hopi, denken sie. Das ist ein hartes Wort. Und besonders hart in Polingaysis Sprache, die keine Schimpfwörter kennt. Verwirrt und mit bitteren Gefühlen sitzt Bessie und horcht auf das Geräusch der Räder. Ich habe es gewollt, denkt sie. Ich wollte lernen. Und ich will noch mehr lernen. Mit wachsender Angst denkt sie an das Leben, das ihr bevorsteht. Ein Leben unter Menschen, die sie liebt und die Bessie nicht verstehen werden.
Nein, denkt Bessie. Einen wird es geben, der mich versteht. Mein Vater Koyawayma.
Er hat mit Pastor Voht eine Reise nach Kansas gemacht. Oft habe ich das Photo angeschaut. Der Missionar sitzt mit einem Gesicht, das unten von seinem Bart und oben von der Brille zugedeckt ist, auf einem Stuhl. Dahinter steht mein Vater, ganz und gar wie ein weißer Mann gekleidet. Klein. Und dann sein kluges

Gesicht und seine großen silbernen Ohrringe. Sie hatten die Aufnahme in einer Stadt machen lassen, die Newton hieß. Ich weiß noch, wie verwirrt ich war. Nie vorher hatte ich eine Photographie gesehen.
Pastor Voht lebte damals nicht mehr in Oraibi. Er kam zurück und nahm meinen Vater mit auf die lange Reise. Sie haben vieles angeschaut, auch eine Schule für Indianer.
Mein Vater hatte nichts über diese Schule erzählt. Aber eines Abends, als ich aus der Schule kam, sagte ich ihm mutlos, wie schwer es war, dort zu sitzen und Angst zu haben. «Am liebsten möchte ich nicht mehr in die Schule gehn», sagte ich. Da hat er mir von der Bethel-Akademie erzählt.
«Es ist nicht recht», sagte er, «daß sie die Kinder mit Gewalt holen. Es ist nicht recht, daß sie sie schlagen. Aber Lernen, das ist nicht schlecht.»

Durch ebenes, wüstes Land fahren wir, durch Einöden, die aussehen, als fiele nie ein Tropfen Regen auf sie herab.
Und plötzlich tut sich tief unter uns die furchtbare Schlucht des Diablo Canyon auf. Auf einer hohen Brücke aus zerbrechlich aussehenden Stützen fahren wir darüber hin. Und so schnell, wie er erschienen ist, liegt er hinter uns. Vor uns die Wellen der Ebene. Geradeaus geht es, weiter nach Winslow.
Dort wird mein Vater auf mich warten, mit seinen knochigen Wüstenpferden und seinem wackligen Wagen. So reist er unter der glühenden Sonne. Oder er ist schon angekommen, kauert neben seinen Tieren im Schatten, in Nachdenken versunken. Er weiß, daß es gut ist zu lernen. Er wird mich verstehn, denkt Bessie. Und was denkt Polingaysi? Sie denkt an den schönen roten Baumwollstoff, den er ihr damals aus Kansas

mitgebracht hat. Sie hat ihn als Schal getragen über ihrem Wollkleid, sie hat ihn mitgenommen, und sie hat ihn auch jetzt bei sich, hier, in ihrer Tasche, auf ihrem Schoß.
Bessie sitzt auf ihrer Bank, mit geschlossenen Augen, und fährt mit dem Finger über das Holz, bis sie die Schrauben findet. Sie zählt die Schrauben, um nicht mehr denken zu müssen, sie steckt die Fingernägel in die kleinen Schlitze, wie sie sie in die Risse der Tonscherben gesteckt hat, als sie noch ein Kind war.
Tarratat, tarratat, sagt der Zug. Tarratat. Immer wieder das und nur das. Wie das Schlagen meines Herzens. Wie das Klappen der Hände, wenn Mutter mit uns die Kinderlieder sang. Wie das Stampfen von Kinderfüßen, die die ersten Tanzschritte schon gelernt haben, bevor sie laufen können. Wenn ihre Beine noch zu schwach sind, um das Gewicht zu tragen, werden sie von der Mutter oder vom Vater im Takt des Tanzes bewegt, während wir den Kiva-Tänzen im Winter oder den Sommerzeremonien auf dem Platz zuschauen, so daß die Gesänge und Rhythmen ein Teil unseres Körpers geworden sind, so natürlich wie der Schlag unseres Herzens. Hinter meinen geschlossenen Augen sehe ich die Tänzer. A-ho-iiiii, holi-holi-ho-iiiii, höre ich die tiefen Stimmen singen, und ich fühle sie in meinen Füßen, meinen Beinen, meinem Kopf, und Sehnsucht überwältigt mich. Sehnsucht nach den Menschen auf der Mesa und nach dem Ort, wo mein Herz hingehört und den es nie verlassen hat.
Endlich, nach langer Zeit, werde ich wieder dort sein.

Unaufhörlich setzt sich das Geräusch der Räder fort. Dann verändert es sich. Es klingt wie der Schritt von schweren Stiefeln auf Holz. Die Schritte des Lehrers, die näherkommen. Das Schlagen des Stocks gegen

seine Hosennaht. Der Stock, der aufs Pult schlägt. Der Stock, mit dem er die Kinder schlägt.
Das blutig geschlagene Gesicht von Bryan Kayahviniwa taucht vor mir auf. Sein schönes Haar ganz kurz. Der Schulleiter hat es ihm abgeschnitten, mit Gewalt, denn er hat sich verzweifelt gewehrt. Und dann fallen mir die andern Männer ein. Es war lange bevor ich in die Schule ging. Die Männer trugen ihr Haar lang und lose fließend oder im Nacken zu einem Strang zusammengefaßt, den sie mit Garn umwickelten. Als die Weißen kamen, bestanden sie darauf, daß die Männer ihr Haar schneiden ließen. Wenn sie sich weigerten, schnitten es die Weißen gewaltsam ab und entehrten sie so vor den Augen ihres Volkes. Starr vor Entsetzen habe ich gesehen, wie erwachsene Männer weinten.
In den alten Zeiten, sagte meine Mutter, haben die Hopi ihr Haar niemals geschnitten. Nur wenn es das Ritual so verlangte. Man hielt es für eine Sünde, denn es kam einem Abschneiden des Lebensstroms gleich. Haare wurden verehrt wie alles, was mit Wachstum zu tun hatte. Das ist noch heute so. Alle abgeschnittenen und ausgekämmten Haare werden aufgehoben und zu einer Kordel verarbeitet, wie man sie in Zeremonien braucht. Und das Haar waschen heißt: den Lebensstrom reinigen. Bei vielen heiligen Feiern wird das Haar in weißlicher Yuccalauge gewaschen. Und wie oft habe ich mir das Haar gewaschen, wenn mein Herz in Verwirrung geraten war.
Das Haar hatte eine tiefe Bedeutung. Es wurde verglichen mit Maismutters seidigen Fäden, die über den wachsenden Kolben fielen. Man mußte es beschützen, denn wenn das Wachstum des Kolbens vollendet war, verging es von selber.
Und nun sollten die Männer das Haar kurz schneiden lassen. Warum? Keiner von uns wußte es. Bloß damit

sie den Weißen ähnlicher würden? Bahána. Ich erinnere mich an den Groll, den Haß und die Verachtung, mit der das Wort bei uns ausgesprochen wurde. Der weiße Mann! Heute denke ich, vielleicht haben sie damals geglaubt, daß wir mit kurzen Haaren weniger unter Läusen leiden würden. Sie haben es uns nicht erklärt.

Es geschah so viel Unbegreifliches. Mit eigenen Augen habe ich gesehen, wie Frauen sich ausziehen mußten und durch eine Reihe von Bottichen mit dreckiger Brühe getrieben wurden, in die sie eintauchen mußten wie Schafe, weil der Bahána behauptete, daß eine Krankheit unsere Dörfer bedrohte. Das war etwas, was keine Hopi-Frau verzeihen konnte. Kinder dürfen nackt herumlaufen. Aber für Frauen und erwachsene Mädchen ist das undenkbar. Sie sind sittsam.

Die Weißen wußten so wenig. Wenn ich an mein erstes Jahr in der Schule zurückdenke, an all die Schläge und Erniedrigungen, dann schaudert es mich. Wir sind behandelt worden wie Tiere, weil wir ihre Sprache nicht verstehen und nicht sprechen konnten. Ich war zu jung, um viel von dem zu begreifen, was sich dort abspielte. Bis dahin hatte ich nur die freundlichen Missionarsleute getroffen. In der Schule bin ich vorsichtig geworden. Mißtrauen gegen die Weißen hat sich in meinem Herzen eingenistet, so freundlich sie auch sein mochten.

«Hak-kim. Pu-ma-ah», sagt der Hopi. Und das heißt: «Ich weiß, was sie zu sein scheinen. Aber ich weiß nicht, was sie im Innern sind.»

Bei uns sahen die Menschen in allen Dingen die Kräfte der Schöpfung am Werk. Ein unsichtbares Netz hielt unser Leben. Die Schule war nicht nur fremd. Sie stand im Widerspruch zu unserer Lebensweise. Ka-Hopi. Nicht gut.

Wehren konnten wir uns nicht. Unsere einzige Verteidigung war Spott und Hohn. In der Schule durften wir uns nicht bei unsern richtigen Namen nennen. Wir durften auch nicht Hopi sprechen. Und wir gehorchten. Aber auf dem Heimweg verrenkten wir uns die Gesichter, um die Grimassen des Lehrers nachzuahmen, und riefen uns laut bei unsern Hopi-Namen. Bis dahin hatten wir in der Sicherheit gelebt, daß das, was wir tun mußten, das Richtige war. Jetzt befolgten wir Regeln, die wir verachteten.
Ich war erst elf Jahre alt, aber in jenem Jahr habe ich mehr nachgedacht als in all den Jahren zuvor.
Ich wollte lenen, und nicht nur die Dinge, die unser Volk wußte. Ich wollte eines Tages mehr von der großen Erde um uns herum sehen. Ich wünschte mir, einmal einen Weg zu finden, der aus der Not herausführte. Aber zugleich wollte ich eine wahre Hopi werden.

Abends lief ich über die Mesa, um nachzudenken. Die Wolken, der Schlamm und die Winde des Frühjahrs waren verschwunden. Im Tal hatten die Männer Windschirme um jeden Acker errichtet, und der Mais streckte seine Stengel klein und hoffnungsvoll der heißer werdenden Sonne entgegen. An einem der freien Tage, die Sonntag heißen, ging ich nach Westen. Immer weiter über das einsame Land, bis es unwegsam wurde, dann durch dichtes Wacholdergestrüpp hinauf, bis dorthin, wo sich als nackter Kamm die höchste Stelle der Mesa erhebt. Wenn man von dort ein Stück abwärts klettert, kommt man zur alten Stadt, zu den Ruinen von Pivánhonkapi. Sie liegen auf einem Felsabsatz, eingeschlossen von mächtigen Wänden. Und darunter ist nichts als das steile Kliff, das senkrecht zum Tal abfällt. Die Reste von alten Mauern, Stufen, gestürzte Kamine, die Asche einer Feuerstelle, eingesunkene Stellen voller Schutt, überall Scherben und Abfall, die Reste von verbranntem Holz, von winzigen, eingetrockneten Maiskolben. So lag der verlassene Ort vor mir. Vater Sonne stand sehr hoch, und ein blendendes Licht lag auf den Ruinen, das wie verdorrtes Weiß aussah, während die Felswände mit ihren gelben, roten und grünen Streifen leuchteten. Unzählige Zeichnungen, die die Geschichte der Menschen beschreiben, die hier gewohnt haben, waren in die Felsen geritzt. Noch nie hatte ich ein so ganz und gar verlassenes Dorf gesehen. Und doch wußte ich, daß es nicht ganz verlassen sein konnte. Die Geister der verschütteten Priester kehren zurück, dachte ich. Und ich erschrak, als ein unvermittelter Windstoß mir die Haare ins Gesicht trieb. Wer war das? Einer von ihnen? Ich stand vor einer Grube. War das die Kiva, deren Dach eingestürzt war, als die Priester sich zur Beratung versammelt hatten? Lagen ihre sterblichen Hüllen hier zu meinen Füßen mit ihren Federn, ihren Muscheln und ihrem Türkisschmuck?

Ich hörte die Stimme meiner Großmutter.

«Im Osten mußt du schauen», hatte sie gesagt. Dort wurde zum letztenmal das Saktiva gefeiert, der alte Leitertanz.

Ich war neugierig, und ich fürchtete mich. Mir war, als könnte sich jeden Augenblick der Boden auftun und die Toten freigeben, die mich aus leeren Augen ansehen und erzürnt fragen würden: «Was tust du hier?»

Leise schlich ich mich von den Ruinen fort nach Osten, wo sich die Felsplatte zu einem schmalen Sims verengt. Dort waren die vier Löcher, in welche früher die Fichtenstämme für den Leitertanz eingelassen wurden. Sie waren leicht zu finden. Hier haben die vier tapferen jungen Männer gewartet. Ich konnte sie vor mir sehen, mit Federn im Haar, auf ihren nackten Körpern die Todesbemalung. Ganz nah am Abgrund. Auf der Klippe hoch über ihnen stand ein Chor von alten Männern, ein Trommler und ein Flötenspieler, hatte Großmutter gesagt, denn sie weiß vieles, was andere nicht mehr wissen.

Wenn das Lied zu Ende war, kletterten die Männer im Osten die Stämme hinauf, stellten sich hoch oben auf die Querlatten und schauten einander an. Dann, auf ein Zeichen, sprangen sie aufeinander zu, aneinander vorbei und ergriffen im Fliegen die gegenüberliegende Stange, wo sie dann hin- und herschwangen, hoch über dem Abgrund. Im gleichen Augenblick griffen die beiden andern Männer im Sprung nach den Seilen, die von oben her um die westlichen Stämme gewickelt waren, und flogen an ihnen im Kreis herum, dreizehnmal, in immer weiter werdenden Bögen über der gähnenden Tiefe. Der kleinste Fehler bei einem dieser Sprünge hätte den Tod bedeutet. Sie mußten ihr Leben aufs Spiel setzen, damit das Leben weitergehen konnte. Sie mußten bereit sein, sich zu opfern. Darum erhielten sie die feierliche Todesbemalung.

Das ist lange her. Als ich dort stand und in die Tiefe schaute, fühlte ich im Herzen die ganze unheimliche Schönheit der Zeremonie, und ich fühlte Stolz auf mein Volk, das sie durchgeführt hatte. Der Flug der Adler, die der Sonne geweiht waren. Aber zugleich war ich erleichtert, weil niemand mehr ein solches Wagnis auf sich nehmen mußte.

Nachdenklich ging ich zu den Ruinen zurück, knüpfte eine Handvoll bemalter Scherben in meinen roten Schal und wanderte, die untergehende Sonne im Rükken, nach Hause.

Großmutter kehrte eben von der Quelle zurück, als ich bei ihrem Haus ankam. Wir gingen hinein, und ich half der alten Frau, den schweren Wigoro vom Rücken zu nehmen.

«Großmutter», sagte ich, «erzähl mir, warum die Priester sterben mußten.»

«Oh», sagte Großmutter mit ernsten Augen. «Du mußt wissen, daß die fliegenden Männer immer unverheiratet sein müssen und auch keine Geliebte haben dürfen. Sie dürfen nicht einmal daran denken. Und wenn sie einmal ausgewählt sind, müssen sie versprechen, sieben Jahre lang zu fliegen. Das ist eine lange Zeit, meine Tochter.»

Ja, dachte ich.

«In jenem Jahr war einer unter den jungen Männern, der von einer Frau so sehr begehrt wurde, daß er Mühe hatte, ihre Liebe zurückzuweisen. Sie aber nahm keine Rücksicht auf seine schwere Pflicht. Als er sie endgültig abwies, wurde sie so zornig, daß sie beschloß, sich zu rächen. In der Nacht schlich sie sich hinaus und machte einen Schnitt in einen der Fichtenstämme, daß er brechen mußte, wenn ihr Geliebter an seinem Seil über dem Abgrund flog.»

Was für eine böse Frau sie war, dachte ich. «Und ist es geschehen?»

«Nein. Massau-u hat den Schnitt entdeckt und ihn wieder geheilt. In der kommenden Nacht schnitt die Frau wieder einen Stamm an, und Massau-u heilte ihn wieder. So geschah es auch in der dritten Nacht. Doch die junge Frau ließ sich nicht beirren, und auch in der letzten Nacht vor dem Saktiva-Fest schnitt sie in einen Mast. Und diesmal kam Massau-u nicht. Der Stamm ist gebrochen und hat den fliegenden Mann in die Tiefe geschleudert.»

«Warum hat Massau-u beim viertenmal nicht geholfen?»

«Keiner wußte es. Vielleicht waren die Gedanken des Mannes doch nicht so rein gewesen, wie sie sein sollten. Oder es gab einen andern, unbekannten Grund dafür, daß die Zeremonie mißlang. Du weißt, eine Zeremonie, die mißlingt, ist immer ein Unglück. Und als die Priester in der Kiva saßen und darüber berieten, geschah das zweite Unglück. Das Dach stürzte über ihnen ein und begrub sie unter sich. Niemand vermochte die Ursache dieser Zeichen zu ergründen. Aber die Menschen wußten, daß sie ihr Dorf verlassen und sich wieder auf die Wanderschaft machen mußten. Seit dieser Zeit hat unser Volk keinen Leitertanz mehr aufgeführt.»
«Ich weiß nicht, ob es recht ist», fügte Großmutter nach einer Pause hinzu. «Ich glaube, es war wichtig, gerade im Pflanzmond eine bedeutungsvolle Zeremonie zu haben. Nicht daß der Kreislauf des Jahres ganz unterbrochen wäre. Die Männer ziehen ja aus, um die Adler für das Niman-Kachina einzufangen. Und die Frauen vom Lakón- und vom Márawu-Bund fasten, beten und singen die heiligen Lieder in der Kiva, um die Erntezeremonie vorzubereiten. Aber es ist doch eine Lücke entstanden, wenn erst vier Monde nach dem Powamu der Heimtanz gefeiert wird.»
Ich war überrascht, daß sie das sagte. Für mich war es eine Zeit voller Tänze. Erst wurden die Nachttänze in den Kivas wiederholt. Später, wenn das Wetter es zuließ, Tänze auf dem Platz. Und dann die Wettläufe. Kinderwettläufe, Läufe hinter dem Ball her oder vier Tage lang um das Tal.
«Das ist nicht das gleiche», sagte Großmutter.

Die jungen Adler, die die Männer im Frühjahr aus allen vier Himmelsrichtungen herbeigeholt hatten, standen auf den Dächern der Häuser auf ihren Plattformen und reckten die flaumigen Flügel. Ich sah, wie die Männer sie ehrerbietig fütterten und mit ihnen sprachen. Es waren viele, denn jeder Klan hatte einen Adler gefangen. Langsam, während ihr Flaum unter den Adlerfedern zu verschwinden begann, wurden die Tage länger. Die Sonne setzte ihre Wanderung nach Norden fort. Und als sie bei der Felsgruppe aufging, die Owátuika heißt, wurde sie gebeten, noch weiter nach Norden zu gehen. Ihr nördlichster Punkt ist das Táwaki-Heiligtum. Und am Tag, bevor sie diesen Punkt der Sommersonnenwende erreicht, beginnt das Niman-Kachina.

Drei Männer brechen auf zur Schattenquelle im Nordosten, fünfundsechzig Kilometer von Oraibi, um das Fichtengrün zu holen. Fichten besitzen von allen Bäume die größte Kraft, sie können Wolken und Feuchtigkeit anziehen. Darum kann man sie beim Niman-Kachina durch kein anderes Grün ersetzen. Das ist nicht nur eine weite Wanderung, sondern auch eine schwierige Pilgerfahrt. Und wenn sie nach drei Tagen zurückkehren, eine männliche und eine weibliche Fichte auf dem Rücken, dürfen sie bis zum Ende des Tanzes kein Wasser mehr zu sich nehmen, damit die Wolkengeister Regen bringen. Nur wenn es einmal vor dem Mittag regnet, dürfen sie trinken.

Ich sah, wie die Kachinas bei Sonnenaufgang auf den Platz kamen. Ich sah, wie sie die geweihten Geschenke niederlegten. Aber ich konnte bei den Tänzen nicht zuschauen. Ich konnte nicht das uralte Gefühl auskosten, daß jetzt und immer wunderbare Dinge auf mich zukommen, nicht die freudige Spannung, welches Geschenk für mich sein würde, nicht die unbeschreibliche Freude, nach langem Warten die süße Melone im Arm zu halten, die von den Kachinas kommt.

Ich mußte zur Schule.

Doch ich beklagte mich nicht. Ich hatte es so gewollt. Und noch hatte ich die Stimmen der Verwandten und Nachbarn im Ohr, wenn sie mit meiner Mutter sprachen. «Aha», hatten sie gesagt, «Polingaysi will in die Schule gehen? Polingaysi hat dein Gebot übertreten? Ein Hopi-Mädchen will eine Weiße werden?» Das schmerzte mehr, als Schläge schmerzen können.

Es war nicht wahr. Ich wollte die bleiben, die ich war. Wie gern hätte ich mit den andern das Niman-Kachina gefeiert, statt den ganzen Tag im Schulzimmer zu sitzen.

Als ich an diesem Tag ins Dorf zurückkam, an dem es wie in jedem Jahr von Besuchern wimmelte, war die Zeit des allerletzten Tanzes schon gekommen. Ich blieb stehen. Und wie sie einzogen und die Kachinmanas mit ihrer Musik begannen und ich die Freude fühlte, die ich in jedem Jahr erlebt hatte, fühlte ich zugleich eine Bitterkeit, die ich zuvor nicht gekannt hatte. Tränen liefen mir übers Gesicht. Ich kauerte mich in eine Ecke, um mein Unglück zu verbergen. In meinem Kopf sah ich alles vor mir. Aber ich konnte nicht sehen, wie der Kachina-Vater die Geister verabschiedete und wie sie dann einer hinter dem andern aus dem Dorf hinaus und über die Mesa wanderten, bis sie am Kliff verschwunden waren.

Mit den Kachinas kehrten auch die Fichten heim. Und am nächsten Tag die Adler, deren Federn die größte Kraft im Tierreich haben. Stolze Vögel waren sie geworden, und an diesem Tag würden sie uns ihre Federn schenken, gerundete Federn, schmalere Federn, Daunen, aus denen wir Gebetsstäbe machen müssen und vieles andere, was zur Erfüllung der Vorschriften notwendig ist.

Es war ein schulfreier Tag, und ich konnte zusehen, wie die Männer auf die Dächer stiegen. Es wurde kein

Blut vergossen. So sanft wie nur möglich wurden die Adler mit einer Decke erstickt und dann zu einer Feier ins Haus gebracht. Sie bekamen Geschenke, männliche Adler einen kleinen Bogen mit Pfeilen, weibliche eine Kachinapuppe und einen Flechtteller. Erst wenn die Körper kalt sind, nimmt man ihre Federn. Und dann kommen sie auf den Adlerfriedhof, wo sie feierlich begraben werden. Für jeden wird ein Steinhaufen errichtet mit einem Stock darin, der ihm am vierten Tag als Leiter dient, um zum Reich der unsichtbaren Mächte emporzuklettern.

In diesem Jahr schien es, als sei alles richtig durchgeführt worden, aber die Zeit verging, und es fiel kein Regen.

«Es scheint nur so», sagten die alten Leute. «In Wahrheit sind schlechte Gedanken in den Herzen der Menschen. Und einem Volk mit unreinen Herzen wird nicht geholfen werden.» Alle hofften auf die große Flötenzeremonie.

Männer und Frauen standen auf den Terrassen des schlammigen Brunnens. Mit ihrem Kopfschmuck aus Papageien- und Kardinalfedern, aber ohne Masken umringten sie das Wasser, umgeben vom Singen der Flöten-Klane. Dann stieg der Führer der grauen Flöte in die Quelle, und rittlings auf einem kleinen Schilffloß sitzend, begann er, darin herumzupaddeln. Als der Chor die Segnungen besang, die unser Volk empfangen hatte, spritzte er mit seinem blauen Paddel in alle vier Richtungen. Und wenn man genau zuhörte und zuschaute, wußte man, wie sich früher alles zugetragen hatte. Wie das Wasser die dritte Welt zerstört hatte, wie die Menschen auf Floßen von einer Insel zur andern gepaddelt und schließlich an der Küste der vierten Welt angekommen waren. Wir wußten, daß es wahr war, und waren stolz darauf, daß die Erinnerung diese Wahrheit über unendlich viele Jahre bewahrt hatte.

Dann die Wettrennen der Männer, der Frauen und schließlich der lange Aufzug nach Oraibi. Hinterher liefen die älteren Frauen, pflückten unterwegs Früchte und warfen sie den glücklichen Zuschauern auf den Kliffs zu.

«We we, lo lo», sangen die Frauen.

> «Dort im Mittelpunkt des Weltalls
> erschien ein blaues Maismädchen
> und wuchs und reifte wunderbar.»

«We we, lo lo», sangen sie, viele Strophen lang, für jede Maisfarbe eine.

Das Singen und das Spiel der Flöten ging weiter. Wir standen auf dem Platz, und bis die Sonne unterging, hörten wir der Geschichte vom Aufgang der Menschheit zu, den unendlichen Gesängen, nur unterbrochen vom Schwirrholz des Wächters, wenn ein Abschnitt zu Ende war. Erst als es dunkel war, verließen die Gruppen den Platz.

Ich hatte eine besondere Liebe für dieses stille Fest. An diesem Abend, als ich mich zum Schlafen auf die Felle legte, schien mir, daß uns nichts Böses geschehen konnte.

Und wirklich. Wolken quollen am Himmel auf, breiteten sich aus, und dann begann Regen zu fallen. Der Mais erholte sich. Die Gemüse richteten sich auf.

Aber es war zu wenig Regen. Die Ernte war schlecht. Die drei Erntezeremonien wurden gefeiert. Wir dankten für das, was wir trotz allem erhalten hatten. Und wir bereiteten uns auf einen schwierigen Winter vor.

Die Tage begannen kürzer zu werden. Die Erde war schon hart. In dieser Zeit war es, als eines Abends

meine Schwester vom Brunnen zurückkehrte und sagte:
«Ein Mann vom Bären-Klan hat mit mir gesprochen.»
«Was hat er gesagt?» sagte unsere Mutter.
«Oh, nichts.»
Das hörte sich so eigenartig an, daß meine Neugier wach wurde.
Mutter sagte nur: «Ach so. Wer war es?»
«Der Bruder von Häuptling Tewaquaptewa. Du weißt schon, welcher.»
Es konnte nur einer sein. Ein großer, schlanker Mann. Die andern Brüder waren längst verheiratet. Er war nicht mehr ganz jung. Aber im Dorf gab es viele Mädchen, die gern mit ihm die Haare gewaschen hätten. Und er stand an zweiter Stelle in der Nachfolge des Häuptlings, wenn Tewaquaptewa sterben sollte.
«Duvangyamsi», sagte Mutter. «Du bist noch zu jung zum Heiraten. Wenn eine Frau heiratet, muß sie wirklich reif sein und fähig, die schwere Verantwortung für ein Haus und Kinder auf sich zu nehmen. Du trägst noch deine Mädchenzöpfe. Warte, bis deine Großmutter dir die Haare zur Poliene geformt hat.»
«Ja», sagte Duvangyamsi.
Wenn ich jetzt an die Worte meiner Mutter denke, machen sie mich traurig. Meine Hand fährt mir durchs Haar, als wollte sie es prüfen. Es fällt noch genau so lose über die Schultern, wie ich es als Kind getragen habe. Bisher habe ich nie darüber nachgedacht. Plötzlich weiß ich nicht mehr, ob es richtig ist. Sollte ich nicht wenigstens die Haare zum Belonsomi zusammenbinden? Zu Hause macht das die väterliche Großmutter. Wenn ihre Enkeltochter gerade zur Frau wird, nimmt sie eine Schnur vom Haar ihrer Familie und bindet damit die Haare des Mädchens zu zwei festen Strängen zusammen, wie meine Schwester sie

damals getragen hat. Und erst, wenn ein Mädchen wirklich erwachsen ist, bekommt sie die großen Ohrschnecken der Poliene, die Schmetterlingsflügel. Die schönste Frisur, die man sich vorstellen kann, habe ich als Kind gedacht. Aber ich war doch froh, daß ich sie noch nicht tragen mußte, weil es mir immer übertrieben vorkam, sich so viel Zeit zu nehmen, nur um das Haar auf die beiden u-förmigen Stäbe zu wickeln.
Und jetzt? Wenn ich mit Schmetterlingsflügeln in der Eisenbahn sitzen würde? Ich kann mir die verächtlichen Blicke vorstellen. Auslachen würde man mich.
Von jenem Tag an bekam meine Schwester öfter Besuch. Abends, wenn alle Arbeit getan war, erschien, in eine warme Decke gewickelt, Charles. So hatten ihn die Weißen genannt. Er kam aber nicht herein. Er stand an der Wand neben dem kleinen Raum, in dem meine Schwester saß und Mais schrotete, und sprach mit ihr durchs Fenster. Es schien ihm ernst zu sein. Und Duvangyamsi arbeitete länger in der Kammer, als sie es sonst tat.

Die Zeit des Wúwuchim war gekommen, die Wege ins Dorf waren verschlossen, wir hatten unser Haus verhängt und waren zu Großmutter gegangen, damit die geheime Nacht der Haarwäsche gefeiert werden konnte. Wieder gingen die Einhorn- und Zweihornpaare durch die leeren dunklen Straßen und riefen: «Wer bist du?»
Dann kam der Stille Mond Dezember. Der Monat, in dem die Erde ruht und die Geister unterwegs sind.
Charles kam nicht mehr zu unserm Haus. Das durfte in dieser Zeit nicht sein. Meine Schwester hätte gar nicht mit ihm sprechen dürfen. Verliebte durften einander auch nicht auf der Straße begleiten, wenn sie schlimme Folgen vermeiden wollten.

Unterdessen verbrachten die Männer viel Zeit in den warmen Kivas, beteten für ein langes Leben, während sie gefiederte Gebetsstäbe machten, um sie am Dorfschrein aufzupflanzen. Das bedeutete, daß alles Leben ein Pflanzen ist. Ein Wachsen und ein Ernten. Gebete, wenn man sie richtig begreift, sind berührbare Dinge.
In dieser Zeit sammelten wir das wenige, was wir an Saatgut für den nächsten Frühling hatten, im Hauseingang und trugen es zur Kiva, damit es gesegnet und Vater Sonne dargeboten würde, bevor die Besitzer es zurückbekamen. Und während dieser ganzen Nacht standen Einhornpriester und Zweihornpriester Wache über der Kiva, denn nichts durfte den Fruchtbarkeitsritus stören.
Es war die Zeit der geisterhaften Winternächte, des Geschichtenerzählens am Feuer, der Sehnsucht nach warmen Tagen. Die Zeit, in der Ruhe einkehrte und die Spannung sich löste.
Als dann der Stille Mond vorbei war und zur Zeit der Wintersonnenwende der Soyal gefeiert wurde, wurden unsere Eltern in aller Stille von zwei Verwandten von Charles angesprochen. Es ging um Duvangyamsi.
Unsere Eltern meinten, daß sie zu jung sei, um Charles zu heiraten. Es würde sich sicher ein älteres Mädchen im Dorf finden, sagten sie. Aber die Männer vom Bären-Klan waren sich einig, daß meine zierliche, über ihr Alter hinaus ernsthafte Schwester die Frau sei, die sie sich für ihren Bruder am meisten wünschten.
Nun hätten unsere Eltern gern zugestimmt, aber es gab eine Schwierigkeit, die ihnen unüberwindlich schien. Um eine richtige Hochzeit vorzubereiten, brauchte man im Hause der Braut sehr viel Mais. Wir aber hatten nur mit Mühe das Saatgut für die nächste Ernte bereitgelegt und wußten nicht, wie wir mit dem

Rest durchkommen sollten. Meine Eltern konnten Duvangyamsi nicht den Mais geben, den sie mahlen mußte.
«Daran soll es nicht liegen», sagten die Besucher.
Ein paar Tage später, es war schon dunkle Nacht, hörten wir Geräusche vor dem Haus. Vater ging hinaus, um nachzuschauen, was es sein mochte. Dann erschien er wieder in der Tür und rief uns nach draußen. Wir konnten kaum glauben, was wir da sahen. Drei Esel. Und sie waren über und über mit Mais beladen.
Duvangyamsi bedeckte vor Freude ihr Gesicht mit den Händen.
Vater begann den Mais abzuladen und trug ihn in den Vorratsraum. Dann band er die Esel an einem Vorsprung in der Wand fest, damit sie nicht fortlaufen konnten.
Am andern Morgen waren die Esel nicht mehr da.
Der Hochzeit stand nichts mehr im Wege.
Meine Schwester hatte jetzt sehr viel zu tun. Jeden Abend, wenn sie aus der Schule kam, kniete sie sich vor den Mahlstein und begann, Mais zu zerstoßen. Und beim Einschlafen begleitete mich immer noch das leise Geräusch, das der Stein in ihren Händen machte.
«In der Maispflanze», sagte Mutter, «ist das vereint, was sonst getrennt ist, das Männliche und das Weibliche. An seinem Stengel wächst erst die männliche Rispe und dann der weibliche Kolben, und wenn von ihm die seidenen Lebensfäden herabhängen, kann der Samen der Rispe auf sie herabfallen. Darum ist Mais bei einer Hochzeit so wichtig. Und darum werden die Haare, die Lebensfäden des Mannes und der Frau, miteinander gewaschen und zusammengewickelt.»
Bald würde meine Schwester Gaben von süßem Maismehl in das Haus ihrer zukünftigen Schwiegermutter

und zu deren Brüdern bringen. Die Gaben würden angenommen und erwidert werden. Und dann würden die Männer des Bären-Klans anfangen, ihr Hochzeitsgewand zu weben. Sie würden die Haarschnüre der Familie bereitmachen, um damit die Haare des Brautpaars zusammenzubinden.
Und ich? denke ich. Wenn ich jetzt nach Hause komme, wird meine Mutter nicht von mir das gleiche erwarten? Heiraten. Kann ich das? Bin ich wirklich eine Frau geworden? Ich weiß die Antwort nicht. Noch nicht. Als die Powamu-Feiern vorbei waren, begannen die Hochzeitsvorbereitungen. Und dann, als der Monat des leise flüsternden Winds angefangen hatte, heiratete meine Schwester.

Der Schnee schmolz. Straßen und Wege verwandelten sich in Bahnen von tiefem Schlamm. Kalte Winde liefen um. In den Vorratskammern war nur noch wenig übrig, aber niemand mußte sterben. Die Männer gingen ins Tal hinunter, um die sandigen Äcker zu pflügen. Aus Zweigen bauten sie den Windschutz für ihre Pflanzen. Manche mußten einen halben Tag laufen, um ihre fernen Felder zu erreichen, und kamen erst am späten Abend zurück.

Man hätte meinen können, daß das Leben so weiterging wie immer. Aber es war anders. Nicht nur, daß wir fremde Kleider trugen und neue Namen hatten, seit wir in die Schule gingen. Nicht nur, daß wir den ganzen Tag unten bei den Bahánas waren. Es war schlimmer.

In den Menschen war keine Ruhe. Kein Frieden. Zorn war in ihren Herzen, der nicht aufflammte, sondern wie ein Schwelbrand das alltägliche Leben erstickte.

Ich schaute zu, wie die alten Männer auf den Dächern sannen, eingehüllt in ihre Decken. Ich sah, wie sie die Decken ablegten, wenn sich die Sonne hob, sah, wie sie aufstanden, die Arme den Sonnenstrahlen entgegenstreckten und die herströmende Energie gegen ihre Körper drückten. Sie beteten für Gesundheit und Weisheit, hatte Mutter gesagt. Und darum betete ich auch für Gesundheit und Weisheit, holte die Sonnenstrahlen mit Leidenschaft zu mir heran. Badete mich darin, rieb sie mit langen Strichen über meinen Körper und vertraute mit meinem Herzen auf ihre Wirksamkeit.

Das Gebet war unsere Zuflucht. Eine andere Waffe hatten wir nicht, uns gegen die Eindringlinge zu verteidigen. Da aber die Menschen ihren Zorn nicht nur gegen die Weißen, sondern auch gegeneinander richteten, vertiefte sich der Zwist im Dorf, und etwas Unheimliches lag über jedem einzelnen Tag. Ich fühlte die Angst, und ich fühlte die Wut.

«Mutter», sagte ich, «was ist es? Warum bringen die Gebete uns keinen Frieden? Woher kommt die Sorge?»

Mutters Blick verdüsterte sich.

«Von den Weißen kommt die Sorge», antwortete sie. «Unser Volk hat sich immer gegen das gewehrt, was vom weißen Mann kam. Es war leicht zu sehen, daß es nicht gut war. Vielleicht gut für sie, aber nicht gut für uns. Zuerst die Spanier. Sie kamen, wie Feinde kommen. Die Weißen aus Washington, die ihnen gefolgt sind, haben zwar manchmal anders geredet, aber nicht danach gehandelt. Wenn wir wirklich Hilfe brauchten, dann haben wir sie nicht bekommen», sagte Mutter. «Wir müssen nach unsern alten Gesetzen leben, nicht nach ihren. Das ist immer unser Weg gewesen, und es war auch der Weg von Häuptling Lololoma. Dann aber hat er eine Reise nach Washington gemacht, und danach war es, als hätte sich sein Herz in die entgegengesetzte Richtung gewendet. Plötzlich schien er es richtig zu finden, wenn die Familien ins Tal hinunter zogen und in einzelnen Häusern wohnten, für die sie von den Weißen Geld bekamen, statt wie bisher miteinander auf der Mesa zu leben. Es dauerte gar nicht lange», erzählte Mutter weiter, «da kamen Weiße mit Pferdewagen, von denen sie Baumaterial abluden und unten am Hang aufstapelten. Das war, bevor du geboren wurdest. Und dann begannen sie, ein großes Haus zu bauen. Dein Vater wußte von Pastor Voht, daß es ein Schulhaus werden sollte. Aber wir wußten nicht, was ein Schulhaus war. Es hieß, all das sei geschehen, weil Lololoma den Bleistift genommen hatte.»

«Was heißt das?» sagte ich. «Was für einen Bleistift?»
«Es heißt, daß er in Washington auf einem Papier sein Zeichen gemacht hat. Es heißt, daß die Weißen ihn überreden konnten, ihre Pläne gutzuheißen.»
«Wie konnte er das tun, wenn die Leute in Oraibi es nicht wollten?»
«Ich weiß es nicht», sagte Mutter. «Ich weiß nur, daß er seine Meinung geändert hat und daß von da an der Friede in unserm Dorf zerstört war.»
Es war, als hätte ein Erdbeben unsere Gemeinschaft erschüttert. Lololoma vom mächtigen Bären-Klan sammelte seine Anhänger hinter sich. Er glaubte, daß wir die Amerikaner als den lange verheißenen guten weißen Bruder anerkennen müßten. Und es dauerte nur wenige Tage, bis er seine Gefolgschaft von seiner Meinung überzeugt hatte. In früheren Zeiten hätten nun die Ältesten in langen Beratungen versucht, einen gemeinsamen Weg zu finden. Jetzt aber sagten viele: Lololoma hat uns verraten – das können wir nicht hinnehmen. Sie weigerten sich, dem Häuptling zu folgen. Das wäre früher das Zeichen für offenen Krieg gewesen. Aber die Zeiten hatten sich geändert. Jetzt wären weiße Soldaten gekommen, wenn die Männer sich für den Kampf entschieden hätten. So folgten nur trotziger Widerstand und schwelende Wut in den Herzen beider Parteien.
Den Gegnern schloß sich auch der Kokop-Klan an, der für seine Streitsucht bekannt war. Sein Führer war damals Patupha von der Kriegergesellschaft. Und als dann die Schule fertig war und die Gegner ihre Kinder nicht hinschicken wollten, als Polizei und Soldaten nach Oraibi kamen, da geschah es, daß eines Tages Häuptling Lololoma Weiße zu der Kiva seiner Feinde geführt hat, in der Patupha und sein Bruder Yukioma waren. Und sie wurden weggebracht ins Gefängnis.

«So wurde zum erstenmal eine Grenze überschritten», sagte Mutter. «Die Gegner bedrohten Lololoma mit dem Tode und hielten ihn, den eigenen Häuptling, in einer Kiva gefangen, einen ganzen Monat, bis weiße Soldaten kamen und ihn befreiten.

Es ist so weit gekommen, daß der Spinnen-Klan eine neue Kiva gebaut hat, um dort für sich die Einweihungen und den großen Soyal zu feiern, während es der Bären-Klan in der alten Kiva tat. Das ist nicht die Art, wie wir leben sollen», sagte Mutter traurig. «Und doch haben wir keinen besseren Weg gefunden.»

Später, als Lololoma starb und Tewaquaptewa sein Nachfolger wurde, übernahm Yukioma die Führung unter den Gegnern. Tewaquaptewa glaubte, daß eine Zusammenarbeit mit den Weißen möglich war. Er glaubte, daß unsere Kinder in die Schule gehen und unsere Männer für die Weißen arbeiten konnten, daß wir Besucher nicht zurückweisen mußten und daß Wagen, metallenes Gerät, Werkzeuge, Fenster, Türen und Eisenherde in unsern Häusern gut für uns waren. Und daß wir zugleich unserm eigenen Lebensweg und unsern Überzeugungen treu bleiben konnten. Yukioma und mit ihm ein großer Teil des Dorfes glaubte das Gegenteil.

«Und wer hatte recht?»

«Andere mögen den Weg des Bahána gehen», sagte Mutter sehr ernst. «Ich glaube, daß Yukioma recht hat. Man kann nicht halb weiß und halb Hopi sein.»

Ihre Worte schnitten scharf in meine Seele. War ich nicht eine von denen, die in der Schule der Weißen lernen wollten? Polingaysi will eine Weiße sein, hieß es. Und ich wußte nichts darauf zu antworten.

So standen die Dinge. Und dann, in diesem Jahr, in dem meine Schwester geheiratet hatte, in dem wir so wenig zu essen hatten und fürchteten, daß es nicht für alle reichen würde, da geschah etwas, das uns noch weiter aufstörte.

Ein paar Familien von der nächsten Mesa kamen nach Oraibi. Es waren ungefähr dreißig Leute aus Shongopovi. Alle gehörten sie zur Partei der Gegner, und Yukioma hatte sie geholt, um seine Gefolgschaft zu verstärken. Er wies ihnen Felder zu, die dem Bären-Klan zustanden. Tewaquaptewa protestierte. Aber Yukioma war hartnäckig. Die Leute bekamen sogar Plätze im Dorf, wo sie Häuser bauen konnten.

Dabei war es nicht nur so, daß wir zu wenig zu essen hatten. Man mußte auch befürchten, daß uns das Wasser ausgehen würde.

Die Feindseligkeiten kamen immer mehr an die Oberfläche.

Die größte Sorge der Menschen aber war das Unglück, das der Haß in ihren eigenen Herzen anrichtete.

Mütter sagten zu ihren Kindern: «Wir dürfen nicht zulassen, daß das schlechte Verhalten des Bahána uns so weit bringt, daß wir uns genauso verhalten wie er. Wir müssen versuchen, keine bösen Gedanken zu denken, denn böse Gedanken sind, als stäche man mit einem Messer. Der andere kann nicht sehen, was du ihm antust. Aber du weißt es. Wenn du jemanden in Gedanken tötest, dann werden böse Geister in dich eintreten. Wir müssen friedlich und ohne Widerstand sein. Wie können wir sonst im Herzen rein genug bleiben, um unsere Gebete zu den Wolkenleuten und zu den Regengöttern zu schicken? Und wenn wir nicht beten und die Regengötter uns vergessen, dann werden wir mit Sicherheit verhungern.»

Oft habe ich gehört, wie die Menschen so sprachen, und der Gedanke, daß wir verhungern könnten, machte mir Angst.

Das Wunderbarste, was es für mich gab, war Essen.

Ganz viel Essen. So viel, wie wir hatten, wenn ein Schaf geschlachtet wurde. Ein möglichst großer Teil vom Fleisch wurde getrocknet und aufbewahrt. Aber jeder eßbare Teil, den man nicht trocknen konnte, wurde gekocht und gegessen. Leber, Herz, Nieren, Hirn, die gereinigten Eingeweide und das Mageninnere. Und wir Kinder, die sonst immer nur kleine Portionen bekamen, durften uns damit vollstopfen, bis unsere Mägen ganz groß waren.

Plötzlich begriff ich, wie wichtig mein Gebet war, wie viel ich dazu beitragen konnte, daß die Wolken zu uns kamen, damit wir nicht verhungern mußten. Mit einem neuen Ziel ging ich bei Sonnenaufgang an den Rand der Mesa. Und wenn ich gebetet hatte, fühlte ich mich aufgerichtet. Ich wußte dann, wir würden zu essen haben.

Aber an dem Zerwürfnis in unserm Dorf konnten meine Gebete nichts ändern. Und es wurde immer deutlicher, daß zwei so verschiedene Meinungen nicht in einem einzigen Dorf Platz hatten.

Einmal hörte ich, wie ein Mann vom Spinnen-Klan zu einem andern sagte: «Wird es denn dazu kommen, daß wir die, die gegen uns sind, töten müssen? Ich habe viele Verwandte im Bären-Klan. Wie kann ich mich gegen sie wenden?»

Ein weiteres Jahr verging. Wúwuchim, Soyal, Powamu, Niman-Kachina, Flötenzeremonie, die Herbstfeiern – der Kreis drehte sich.

Eines Tages hörten wir die Stimme des Ausrufers. Alle wurden auf den Dorfplatz gerufen, und der Kriegshäuptling hielt eine sehr lange, sehr ernste Ansprache. Er war der zweitmächtigste Mann im Dorf und stand ganz auf der Seite von Häuptling Tewaquaptewa. Als die Rede zu Ende war, sah ich, wie Tränen über die runzligen Wangen meiner Großmutter liefen. Sie weinte ohne ein Geräusch und schien ihre Tränen gar nicht zu beachten.

«Großmutter», sagte ich, «warum läßt du Tränen in den Sand fallen? Was hat der Kriegshäuptling gesagt, das dich so traurig macht?»

Langsam trocknete sie die Tränen mit dem Zipfel ihrer Decke.

«Nicht das, was der Kriegshäuptling gesagt hat, hat mich zum Weinen gebracht, meine Tochter. Es war das, was ich hier im Mittelpunkt der vielen Häuser gesehen habe. Die Dinge sind nicht mehr, wie sie sein sollten. Der Kriegshäuptling hat in seiner Rede für Lololoma gesprochen. Er hat gesagt, daß seine Entscheidungen damals richtig waren. Und vielleicht ist es wahr. Vielleicht konnte Lololoma das Schicksal, das uns befallen hat, nicht verhindern. Seit langer Zeit haben die Weißen versucht, im Land der Hopi Fuß zu fassen. Die Spanier haben wir vertrieben. Als sie zurückkehrten, haben wir sie nochmals vertrieben. Aber gegen die weißen Männer, die jetzt auf die Mesas kommen, scheint es kein Mittel zu geben. Wenn ich es mit meinem eigenen Leben vergleiche, ist es noch gar nicht so lange her, seit diese Leute hier sind. Ich habe noch jenen Morgen erlebt, als die Spanier auf den Schlangenplatz geritten kamen, um Kinder zu fangen und wegzuschleppen.»

Großmutters Tränen begannen wieder zu fließen beim Gedanken an die Männer, die die Spanier erschossen haben.

«Aber jetzt», sagte Großmutter und schaute in die Ferne, «in der kurzen Zeit, seit diese Leute hier sind, sehe ich schon ihren Einfluß. Die jungen Mädchen sehen nicht mehr wie früher aus. Sie wollen, daß ihr Haar dem Haar der weißen Frauen gleicht, obwohl nichts schöner sein kann als die Haarschnecken der Poliene. Die Frauen legen ihre Deckenkleider beiseite um der neuen Kleider willen, die der Händler verkauft. Und unsere Männer. Von weitem sehen sie aus wie weiße Männer, bis zu den Schuhen hinunter.»

Sie hat recht, dachte ich und blickte in die betrübten Augen der alten Frau. Sie legte ihre dünne Hand auf meinen Kopf.

«Ich sage dir, Polingaysi, du wirst eine Zeit erleben, in der die Dotsi nicht mehr getragen werden. Als könnte einem im Schuh des weißen Mannes je so wohl sein wie in unsern weichen Mokassins. Meine Großmutter hat einmal zu mir gesagt, daß eines fernen Tages hoch in den Himmeln ein Weg gerichtet werden würde, und auf ihm würden die Menschen reisen, wie es die Adler tun. Sie sagte auch, daß die Menschen sich einmal sehr rasch bewegen würden, ohne daß ihre Füße den Grund berührten, und sie hatte noch nie einen Mann auf einem Pferd reiten sehen. Aber wir wissen heute, daß es möglich ist.»

Großmutter fuhr fort zu sprechen, und je länger sie sprach, um so mehr verwandelte sich ihre Stimme in die Stimme der weisen verstorbenen Frau, die ihre eigene Großmutter gewesen war.

«Sie sagte, daß in jener Zeit die Hopi nicht mehr still einer hinter dem andern auf ihren uralten Straßen wandern werden. Sie werden nebeneinander gehen und mit lauter Stimme schlechte Wörter sprechen, wie es die Jungen und Mädchen heute schon tun. Mädchen werden schwanger werden, bevor sie wirklich zu Frauen geworden sind. Und unbekannte Krankheiten werden den Mann-mit-Augen in die Irre führen, dessen Aufgabe es ist, zu heilen. Die Herzen werden in Verwirrung geraten. Fremde werden in den verfallenen Häusern unserer Vorfahren graben und die Ge-

wänder der Alten aufstören.»
Ich dachte an Pastor Voht.
«Wir haben gesehen, daß diese Vorhersage in Erfüllung gegangen ist. Schon heute. Wenn diese Dinge geschehen, wird das die Zeit des Suahkitspiutani sein. Die Zeit, wenn die Veränderung rasch kommt. Und das wird der Vorläufer vom Ende eines Zeitalters sein.»
Großmutters Stimme schwieg. Und schweigend horchte ich den bedeutungsschweren Worten nach.
Sie sprach von der Zeit, in der unsere Welt zerstört werden wird, weil die Menschen vom rechten Weg abgekommen sind und die Demut vergessen haben. Die Menschen haben es bereits früher erlebt, und es wird noch einmal geschehen. So sagt man bei uns.
«Glücklich ist der Hopi, der in jenen Tagen in unser Dorf zurückkehren kann», flüsterte sie. «Sie werden kommen, in tiefstem Elend, auf den Knien den Weg zur Mesa heraufkriechen und uns um Obdach bitten. So werden sie zurückkehren von den fernen Orten, zu denen sie gegangen sind. Mit ihnen aber werden ein weißer Bruder und eine weiße Schwester kommen, die einzigen Überlebenden ihrer Rasse, und wir, die wir dageblieben sind, werden ihnen Schutz gewähren, obwohl es vorausgesagt ist, daß sie die Schrecknisse und das Sterben selber verursacht haben durch ihr magisches Wissen.»
Hier verstummte Großmutter. Aber ihre Stimme ist in meinem Kopf nicht erloschen. Ich höre sie heute noch. Jedes einzelne Wort. Nie habe ich einen Zweifel daran gehabt, daß sie recht hatte.
Das letzte Zeitalter, dachte ich. Werden dann wirklich alle Menschen ohne Zwietracht miteinander leben? In Weisheit und Bescheidenheit? Und werden alle genug zu essen und zu trinken haben?

Aber es war nicht für uns. Erst für die Menschen, die nach uns kommen.

Eines Morgens, als mein Vater zum Haus des Missionars ging, entdeckte er Spuren. Es mußten in der Nacht Besucher dort gewesen sein. Und es dauerte nicht lange, bis er wußte, wer sie waren. Yukioma und seine Gefolgsleute besuchten den Missionar heimlich im Schutz der Nacht. An einem Abend, als Vater müde von der Arbeit auf einer Bank neben dem Haus eingeschlafen war, wurde er von Stimmen geweckt. Vom Messias war die Rede und, was ganz ähnlich klang, von Massau-u, dem Gott des Todes, der jederzeit Zutritt hat zu den Hopi-Dörfern, der aber auch imstande ist, feindliche Kräfte zu zerstören. Die Männer drinnen hielten den Messias für den Massau-u der Bahánas; und es war, als suchten sie in der Messiaslehre nach einer Weisheit, mit der sie hätten beweisen können, daß sie im Recht waren. Als er sie so reden hörte, ging Vater zu ihnen hinein und hörte zu. Und nach dieser Nacht sprach er oft mit Yukioma in der Kiva.

Zuerst schwieg er über sein Erlebnis. Mein Vater war ein konservativer Mann, aber er wußte sehr genau, daß Widerstand sinnlos war. Er konnte sehen, wohin die Wut und die Ausbrüche in den Kivas führen mußten.

Darum sprach er lange Zeit nicht darüber. Aber eines Abends, als wir Kinder schon schliefen, vertraute er sich seiner Frau an. Er sprach leise, und doch wachte ich sofort auf. Der Wunsch, mehr zu wissen über das, was sich im Dunkeln abspielte, war stärker als meine Müdigkeit. Er erzählte ihr von seinen Befürchtungen und von dem Unheil, das sich zusammenbraute.

Schweigend hörte sie zu.

«Ich hatte einen Traum in dieser Nacht», sagte sie am andern Morgen. Wir Kinder schwiegen in ehrfürchtiger Scheu, denn unsere Mutter war Mitglied des Kojote-Klans, und dieser Klan besitzt außerordentliche übersinnliche Kräfte. Wir wußten, daß ihre Träume eine tiefe Bedeutung hatten.
«Ich will euch etwas sagen», begann sie an diesem Morgen. «Yukioma und seine Leute können diesen Kampf nicht gewinnen. Sie sind schon geschlagen. Das weiß ich aus meinem Traum.»
«Wie war der Traum?» sagte Vater.
«Dieses Dorf war verlassen vom Spinnen-Klan und von den Freunden des Spinnen-Klans. Ihre Kivas waren leer. Ihre zeremoniellen Besitztümer waren auf den Straßen verteilt, zerrissen und zerstreut wie durch Gewalt. Da war ein Weinen. Ich fragte, was geschehen sei, und hörte, daß ein Bär von Norden gekommen und in die Kiva der Blauen Flöte gegangen sei, wo sich die Führer des Dorfes versammeln. Er war dort drinnen und spaltete die Herzen unseres Volkes.»
Vater hatte keinen Zweifel an der Wahrheit dieses Traums. Er wußte wie wir alle, daß unser Leben vorherbestimmt ist. Was sein muß, wird sein. Und dies war mehr als ein plötzlicher Zwist zwischen zwei Anführern. Was hier am Werden war, war früher schon gewesen, und es würde wieder sein.
Ganz am Anfang kamen die Hopi aus der Unterwelt, weil ein Teil von ihnen erzürnt war über das, was die andern taten. Eine Gruppe ging voraus. Als sie zum Kleinen Colorado kamen, sahen sie einen toten Bären, und danach nannten sie sich Bären-Klan. Nach vielen Wanderungen bauten sie Häuser an den unteren Hängen der Mesa. Da sie die ersten Hopi waren, die in dieser Wildnis ankamen, beanspruchte der Bären-Klan alle Mesas und spielte die Rolle der Anführer

und Besitzer. Damals standen zwei Brüder dem Klan vor. Sie begannen sich um die Führung zu streiten. Und einer von ihnen ging fort. Oder er wurde aus dem Dorf vertrieben. Er richtete sich unter einem schützenden Felsendach unterhalb der Mesa ein. Nach einiger Zeit schlossen seine Frau und ein paar Freunde sich ihm an, und sie begannen, ein Pueblo oben auf der Mesa zu bauen. So wurde Oraibi gegründet. Damals waren alle andern Dörfer noch im Tal. Erst später sind sie um der Sicherheit willen auf die Plateaus gezogen.
Und nun war es, als würde ein uralter Streit wieder aufleben und die Herzen der Menschen von neuem spalten.
Wir fragten uns, ob sich die Geschichte wiederholen mußte. Mußte ein Teil von uns Oraibi verlassen? Würde das unser Schicksal sein?

Als der Sommer seinen Höhepunkt erreicht hatte, kam es dazu, daß beide Parteien ihr eigenes Niman-Kachina feierten. Tewaquaptewa erlaubte seinen Gegnern nicht, den heiligen Schrein zu benutzen, an dem die Kachinas ihre Gewänder ablegen und für die sichere Heimkehr der Geister beten. Das war ein Schritt auf die gewaltsame Lösung zu, eine Herausforderung, die nicht unbeantwortet bleiben konnte.
Von da an waren die Männer nahezu ununterbrochen zu Beratungen in den Kivas oder ihren Häusern. Die Zeit des Schlangentanzes rückte näher, und da er immer viele Besucher nach Oraibi lockte, mußte man fürchten, daß sie zu Zeugen der Auseinandersetzung würden. Um das zu vermeiden, mußte die Entscheidung schnell fallen.
Leute aus Moencopi trafen in Oraibi ein, eine starke Gruppe von Männern, die Tewaquaptewa unterstützen sollten.

Immer wieder kam es zu hitzigen Auseinandersetzungen, zu Raufereien. Die Männer begannen ihre Gewehre zu reinigen und zu ölen. Messer, Keulen, sogar Pfeile und Bogen wurden bereitgemacht. Spitzel waren unterwegs, weil jede Seite erfahren wollte, was die Gegner im Schilde führten.

Als es dunkel war, kam Vater nach Hause. Yukioma hatte auf der Kiva-Versammlung gesagt, daß auf keinen Fall Blut fließen dürfe. Eine andere Lösung müsse gefunden werden.

Dennoch konnten wir uns nicht in Sicherheit fühlen.

Die Eltern berieten, was wir tun sollten. Welche Gefahr drohte uns? Duvangyamsi war sicher, weil sie in den Bären-Klan eingeheiratet hatte. Mein Vater würde wegen seiner Nähe zu den Missionaren nicht vertrieben werden. Aber Sevenka, unsere Mutter, eine Konservative, sie konnte in Gefahr sein wie viele andere vom Kojote-Klan, wenn der Kampf ausbrach. Um sie und ihr Haus zu retten, war es am sichersten, sie wegzubringen, bis der Aufruhr zu Ende war.

Das war Vaters Vorschlag. Er selbst wollte auf der Mesa bleiben, um dabei zu sein, wenn sich Oraibis Schicksal entschied.

Mutter widersprach nicht, so schwer ihr diese Entscheidung auch fiel. In stummem Schmerz packte sie Bettzeug und Essen zusammen. Ich half ihr dabei, so gut ich konnte. Aber ihrem Herzen konnte ich nicht helfen. War es denn sicher, daß sie je zurückkehren durfte? Unser Haus, so armselig es war und so sehr sein Dach auch leckte, es war doch der Ort, wo sie hingehörte. Nur dort konnte sie die sein, die sie sein mußte. Traurig, als würde ein Stück von ihr selber abgerissen, führte sie uns die Mesa hinunter, als es Nacht geworden war. Jeder mit einem Bündel auf dem Rücken, so stahlen wir uns still um den Fuß des Kliffs, eilten quer durch das Tal, durch das Flußbett und kamen endlich im Haus des Missionars an, wo wir fürs erste Zuflucht finden sollten.

Am frühen Morgen ging der Missionar auf die Mesa. Wir blieben zurück, Frauen und Kinder, die nicht wußten, was geschehen würde. In großer Sorge schauten wir aus den Fenstern nach Westen, wo sich das Kliff erhob. Gelb mit roten und weißen Schichten leuchtete es in der Morgensonne. Was geschah jetzt dort? Wurde gekämpft? Wurde jemand verletzt oder gar getötet? Yukioma hatte befohlen, kein Blut zu vergießen. Doch in einem Kampf kann alles geschehen.

Wir schauten durch einen Feldstecher. Aber wir sahen nichts. Den ganzen Tag nichts.

Vieles ging mir in diesen langen, quälenden Stunden im Kopf herum. Dinge, die ich gehört, aber nicht verstanden hatte, als ich noch klein war. Von den heiligen Tafeln hatte ich gehört, die unser Schicksal vorhersagen. Vom Kopfabschlagen, das der Führer, der im Unrecht war, auf sich nehmen müsse, um das Glück unseres Volkes für immer zu retten. Von den Soldaten, die sich damals mit einer glänzenden Maschine auf dem Platz versammelt hatten, wo das Opfer vollzogen werden sollte. Von Lololoma und Yukioma, die beide diese Probe nicht bestanden und unser Volk nicht gerettet hatten. Vom Gefängnis war die Rede gewesen und vom Diebstahl der Tafeln. Erst in diesen angstvollen Stunden des Wartens wurde mir der Sinn dieser düsteren Erzählungen deutlicher.

Es war schon später Nachmittag, da sahen wir, wie oben auf dem Kliff Staub aufstieg.

Als ich diesen Staub sah, der sich gegen den klaren Himmel erhob, begann ich vor Angst zu beben.

Schreckliche Dinge sah ich vor mir. Ich sah die Pranke des Bären, von dem meine Mutter geträumt hatte. Ich sah die nackten Herzen der Menschen, wie sie von dieser Pranke in Stücke gehauen wurden. Voller Schrecken dachte ich an meinen Vater, dachte, daß er jetzt vielleicht im Staub lag und kein Herz mehr hatte. Immer mehr Staub sahen wir aufsteigen. Langsam trieb der Wind die durchsichtige Wolke über uns hinweg. Dann, endlich, schien es ruhig zu werden.

Die Sonne war schon untergegangen und das tiefe Rot des westlichen Himmels hinter der Mesa grau geworden, als wir im allerletzten Licht die beiden Männer den Pfad herunterkommen sahen. Unversehrt kamen sie in der Mission an und erzählten, was geschehen war.

Ganz früh am Morgen hatte es angefangen. Tewaquaptewa war mit seinen Leuten vor dem Haus erschienen, wo Yukioma und viele von seinen Männern aus Shongopovi am Essen waren. Dreimal wurde angeordnet, daß die Fremden Oraibi verlassen sollten. Als sie sich auch beim viertenmal weigerten, ergriffen Tewaquaptewas Leute ein paar von den Auswärtigen und warfen sie hinaus. Und als Yukioma und seine Männer ihnen zu helfen versuchten, schrien sie:

«Sie helfen denen aus Shongopovi! Jetzt haben wir das Recht, sie alle fortzujagen!»

Ein wildes Handgemenge folgte.

Und dann stürmten Tewaquaptewas Männer durchs Dorf. Allen voran die aus Moencopi. Sie trugen Messer im Gürtel, Revolver, und schwenkten ihre frisch gereinigten Gewehre. Frauen wurden von ihren Häusern weggezerrt. Männer blutig geschlagen. Ein Mann packte einen Säugling auf einem Wiegenbrett und warf ihn seiner Mutter nach. Die Mutter schrie vor

Schmerz. Sie war sicher, daß ihr Kind tot war. Aber es lebte. Das Brett war hochkant gelandet und hatte dem Kind das Leben gerettet.

Mein Vater verstummte angesichts des Leids, das ein Mensch dem andern zugefügt hatte.

Alle, die zu Yukiomas Partei gehörten, wurden zum Dorf hinausgejagt und oben auf der Mesahöhe zusammengetrieben.

«Es war ein solches Getümmel», sagte Vater, «daß man jeden Augenblick fürchten mußte, daß die Schießerei begann.»

In sicherem Abstand standen die Weißen, die auf die Mesa gekommen waren in der Absicht, das Schlimmste zu verhüten, ein paar Leute von der Agentur, Missionare, die Krankenschwester. Dann und wann versuchten sie, die Hopi, das Volk des Friedens, daran zu erinnern, daß sie den Streit ohne Gewehre, Messer und Knüppel regeln sollten.

Es war schon Nachmittag, als sich Yukioma und seine Gefolgschaft im Nordwesten des Dorfs versammelten, wo der Weg zur Hotevilla-Quelle führt. Dort trat Tewaquaptewa ihm mit seinen Leuten entgegen. Hunderte von Männern in äußerster Erregung, bereit, eine Entscheidung herbeizuführen.

Da stieß Yukioma einen Schrei aus. Alle hielten inne, um zu hören, was er zu sagen hatte. Und Yukioma zog mit seinem bloßen Zeh eine Linie in den Sand, von Osten nach Westen. Im Norden stellte er seine Leute hinter sich auf. Im Süden standen ihm die Amerikanerfreundlichen gegenüber, mit dem Rücken zum Dorf.

Dann sagte Yukioma zu Tewaquaptewa:

«Wenn deine Leute stark genug sind, uns vom Dorf wegzustoßen und mich über diese Linie zu schieben, dann wird es geschehen. Wenn wir aber dich über die

Linie schieben, wird es nicht geschehen. Dann werden wir hier leben.»

Sie stellten sich alle auf. Ein Mann von der Partei des Häuptlings stand Yukioma gegenüber. Sie legten einander die Hände auf die Schultern. Hinter ihnen die andern wie zwei Fächer.

Das Schieben begann. Mit aller Kraft versuchten die Männer, einander zurückzudrängen. Yukioma wurde vorwärts und rückwärts gestoßen.

Am Rande des Kampfes fielen einzelne Männer übereinander her und schlugen in unbezwinglicher Wut aufeinander ein. Immer wieder griff jemand nach einem Stein, bereit, ihn dem Gegner an den Kopf zu schleudern. Dann schrie jemand durch den Lärm: «Hör auf!» und packte ihn von hinten, um ihm den Stein zu entreißen.

Aber immer noch hatten nicht alle ihre Waffen weggelegt.

«Neben mir stand ein Mann mit einem geladenen Gewehr», erzählte mein Vater. «Er war ein Konservativer, und es sah so aus, als wollte er jeden Augenblick zur Waffe greifen, um seinen Leuten zu Hilfe zu kommen, wenn sie wieder ein paar Schritte zurückweichen mußten. Denk an Yukiomas Worte, habe ich zu ihm gesagt. Es soll kein Blutvergießen geben. Da erst hat der Mann ärgerlich sein Gewehr weggeworfen und sich dem Kampf mit bloßen Händen angeschlossen.»

Und das Schieben ging weiter. Der Druck war so groß, daß Yukioma immer wieder hoch in die Luft hinaufgedrückt wurde. Wie eine menschliche Puppe schwebte er über den Streitenden. So ging es mehrere Stunden, bis schließlich Tewaquaptewas Partei die Oberhand gewann.

Yukioma war übel zugerichtet.

Er gab seine Niederlage zu.

«Ihr habt mich über die Linie geschoben», sagte er, «und es geschieht. Es mußte so sein.»

Die Menschen, die ihr Leben lang am Ort ihrer Vorfahren gelebt und auf der Mesahöhe den Ausgang des Kampfs abgewartet hatten, mußten gehen. In großer Eile packten sie das Notwendigste auf ihre Esel. Dann zogen sie fort. Nach Nordwesten.
Wir schliefen noch eine Nacht in der Mission.
Am andern Morgen kehrten wir zurück. Wie still Oraibi war, an diesem Tag nach der Spaltung. Viele Häuser standen leer. Ihre Bewohner waren gegangen, aber ihre Besitztümer und Vorräte waren noch da. In beinahe jedem Haus wurde ein lieber Verwandter betrauert, der ausgestoßen worden war.
Viele von unsern Verwandten vom Kojote-Klan waren fort. Am meisten vermißten wir Onkel Sinoyva. Der auf der Suche nach Blumen herumgeht. Freundlich und liebevoll wie sein Name war er. Wie viele Geschichten hatte er uns erzählt. Wie glücklich war er gewesen, wenn er eins von uns Kindern sah. Und jetzt würde mein kleiner Bruder nie mehr hinter ihm hertrotten, nie mehr seine Geräte ausprobieren, nie mehr mit ihm singen.
Die Ausgestoßenen wollten in das ferne Kawestima wandern, die Trümmerstätte, von wo der Spinnen-Klan ursprünglich gekommen war. Jetzt hatten sie bei der Hotevilla-Quelle Halt gemacht, um sich auszuruhen, dreizehn Kilometer von Oraibi.

An diesem Tag unterzeichnete der Häuptling ein Abkommen mit dem Superintendenten von Keams Canyon. Darin hieß es, daß die Ausgestoßenen in kleinen Gruppen von höchstens drei Leuten zurückkommen und ihren Besitz holen durften.

Es dauerte ein paar Tage, bis sie es wagten, das Dorf zu betreten. Die ersten kamen ängstlich, und erst mit der Zeit wurden sie mutiger, als die Gefühle gegen sie sich etwas abgekühlt hatten.
Onkel Sinoyva war einer der ersten.
«Wie geht es euch», sagte Mutter.
«Es ist kalt an dem Ort, wo wir jetzt sind», sagte er zu seiner Schwester. «Unsere Mutter weint nach ihrem Haus im Dorf. Wir leben in Löchern und Sanddünen. Oder in Höhlen unter den vorspringenden Felsen. Wir leben im Unglück. Die Frauen können die Trennung nicht verschmerzen. Eine Frau geht jeden Tag ein Stück nach Oraibi. Dann bleibt sie stehn und schaut und schaut, nur um zu sehen, wie der Rauch aus den Kaminen steigt. Viele Herzen sind voller Haß, weil man uns von unsern Häusern weggetrieben hat, von unsern Maisspeichern, wo wir die Ernte aufbewahrt haben. Wir wissen, daß sie uns inzwischen das meiste gestohlen haben. Aber wir wären froh über jedes Bißchen, das wir noch mitnehmen können.»
«Was sind eure Pläne?» sagte Mutter mit erstickter Stimme. «Werdet ihr weiterwandern?»
«Nicht jetzt», antwortete ihr Bruder. «Wir haben keine Ausrüstung, keine Vorräte. Es wird ein strenger Winter, und wir müssen für unsere Frauen und Kinder sorgen. Jetzt müssen wir erst einmal Unterkünfte bauen, damit wir nicht erfrieren, wenn es noch kälter wird.»
Onkel Sinoyva blieb so lange bei uns, wie er nur konnte.
Dann kamen zwei Männer vom Bären-Klan.
Wir klammerten uns an unsern Onkel.
«Geh nicht weg», jammerte mein Bruder. «Bitte, geh nicht weg.»
Onkel Sinoyva weinte, als er uns verließ.

Und dann kamen Soldaten. Es hieß, daß sie Yukioma ins Gefängnis gebracht hätten. Häuptling Tewaquaptewa wurde verhaftet. Aber nach kurzer Zeit kam er zurück, der Sieger bei der Spaltung Oraibis. Und er wollte seinen Sieg feiern, einen Sieg, bei dem das Dorf sein Herz verloren hatte.
Der Ausrufer kündigte einen Schmetterlingstanz an. Und ich sollte eine von den Tänzerinnen sein. Ich begann, die zierlichen, überaus schwierigen Schritte zu üben, und während wir übten, wuchs meine Freude an den Bewegungen. Als es endlich so weit war, daß wir den Tanz aufführten, war ich so aufgeregt, hatte so viel Musik und Bewegung im Herzen, daß die Trauer für einen Tag verschwand. Ich dachte gar nicht an das düstere Ereignis, das wir mit diesem Tanz feierten. Ich war glücklich, daß ich zum erstenmal an einem von unsern Tänzen teilnehmen durfte. Ich konnte nicht wissen, daß es das letztemal sein sollte.

Nach Westen

An einem klaren Herbsttag jenes Jahres sah ich auf der Bergstraße, die von der zweiten Mesa herunterführt, einen gedeckten Wagen. Für einen Augenblick stockte mir der Atem. Ich sprang auf die Füße und schaute noch einmal hin. Holpernd kam der Wagen am Fuß des Kliffs an und bewegte sich dann in unsere Richtung. Ob sie es sind? dachte ich. Die Kinder von der Schule in Keams Canyon, Kinder auf dem Weg in die Welt der Weißen?

Eine Gruppe von jungen Hopi sollte nach Kalifornien geschickt werden. Seit ich davon gehört hatte, wartete ich, daß mich jemand fragte, ob ich mitreisen wollte. Ich hätte Ja gesagt. Aber es fragte niemand. Warum nicht? Hatte ich nicht gut genug gelernt? Hatten sie gemeint, daß ich zu jung war? Oder hatten sie mich einfach vergessen?

Mit klopfendem Herzen beobachtete ich, wie der Wagen langsam näherrollte. Träge Pferde zogen ihn. Noch bevor er anhielt, krochen lachende Jungen aus dem segeltuchbedeckten Wageninnern, rannten dem Wagen voraus und jagten einander.

Schließlich war auch der Fuhrmann angekommen und hielt die Pferde an. Ich wartete, bis er abgestiegen war, dann rannte ich zum Wagen und kletterte hinauf. Ich mußte einfach hineinschauen. Unter den Kindern, die noch drinnen saßen, war ein vertrautes Gesicht: ein Mädchen aus Oraibi. Freundlich schaute sie mich an. Da faßte ich mir ein Herz und fragte: «Kommst du nach Hause? Bleibst du hier? Oder fährst du in diese Schule im Westen?»

«Wir fahren weiter», sagte sie. «In das Land der Orangen.»

«Oh», sagte ich. «Wirklich?»
Land der Orangen, dachte ich. Was für ein Name! Ich stellte mir vor, wie dort der Boden bedeckt war mit prächtigen goldenen Orangen, die unendlich süß schmeckten. Land der Orangen, Land der Träume. Wer würde nicht gern in einem solchen Land leben? Aber mein Verstand sagte mir, daß vielleicht ein Haken dabei sein konnte. Ob die Kinder, wenn sie wegfuhren, jemals auf die Mesa zurückkommen durften?
«Weißt du, ob ihr wieder nach Hause kommen dürft?» fragte ich.
«Ja», sagte sie. «Aber es dauert lange.»
«Wie lange müßt ihr mit dem Wagen fahren?»
«Nur zwei Tage. Bis Winslow. Von dort reisen wir mit einem Zug weiter. Der fährt sehr schnell.»
«Was ist das, ein Zug?»
Einen Augenblick schwieg sie. Ein Zug. Gesehen hatte sie noch keinen, sagte sie dann. Aber es hatte ihr jemand erzählt, daß ein Zug eine lange Kette von Häusern auf Rädern war, und die wurden nicht von Pferden gezogen, sondern von einem eisernen Haus, welches Dampf und Qualm ausstieß und ohrenbetäubend kreischte.
Mir kamen Zweifel, ob das Mädchen die Wahrheit sagte. Voller Mißtrauen sah ich sie an. Vielleicht stimmte auch das nicht, was sie vom Land der Orangen erzählt hatte. Vielleicht gab es einen solchen Ort überhaupt nicht.
«Sie hat recht», sagte da ein anderes Mädchen. «Uns hat der Lehrer Bilder von Zügen gezeigt. Sie sind voll von Menschen, die durchs Land reisen und winken. In manchen Zügen sind sogar Tiere.»
«Tiere?»
«Rinder, Pferde. Manchmal Schafe.»

Das konnte ich allerdings nicht glauben, daß Tiere mit dem Zug fahren.
«Wir haben auch Bilder von Orangenbäumen gesehen. Sie sind schwer von Früchten», sagte sie, «ungefähr wie die Pfirsiche auf unsern Bäumen, nur viel größer.»
Ach so, dachte ich. Man muß sich die Orangen an Bäumen vorstellen. Aber das Bild von den Orangen, die golden den Grund bedecken, habe ich nur ungern aufgegeben.
«Orangen gibt es dort so viele, daß die Schulkinder damit Ball spielen», sagte einer von den Jungen, die noch im Wagen saßen. «Jeder kann so viele essen, wie er will. Es gibt sie haufenweise.»
Ohne weiteres Nachdenken sprang ich aus dem Wagen und rannte heimwärts. Atemlos und vom Wind zerzaust kam ich zu Hause an.
«Bitte zeig mir, wie man einen Flechtteller macht», sagte ich.
Erstaunt sah meine Mutter mich an.
Ich konnte mir vorstellen, was sie in diesem Augenblick dachte.
Seit undenklichen Zeiten war es für die Mädchen selbstverständlich zu lernen, wie man die Teller macht. Zu den Pflichten einer Mutter gehörte es, ihre Töchter diese Kunst zu lehren, denn man braucht viele solche flachen Schalen in einem Haushalt. Die Frauen von unserer Mesa waren berühmt für die Schönheit ihrer Flechtteller. Die von der zweiten Mesa sehen ganz anders aus. Meine Schwester hatte schon früh gelernt, Teller zu flechten, und sie war sehr geschickt darin. Nur ich, ich war immer zu unruhig gewesen, zu voll von andern Plänen, um eine solche langwierige Arbeit zu lernen.
«Polingaysi», sagte Mutter, «warum willst du plötzlich

in solcher Eile eine Kunst lernen, um die du dich früher nie gekümmert hast?»
«Weil ich eine Orange kaufen will», sagte ich. Das war die Wahrheit. «Der Kaufmann wird mir Orangen geben für die Schale. Früher hab' ich einmal eine probiert, aber ich weiß nicht mehr genau, wie sie geschmeckt hat. Sehr gut, glaube ich. Aber ich muß es wissen. Wenn Orangen gut schmecken, dann gehe ich ins Land der Orangen, wo die andern Kinder hinfahren.»
Während ich das sagte, hatte ich eine Schale in die Hand genommen, die meine Mutter schon fast fertiggemacht hatte.
«Diese nehme ich», sagte ich. «Ich habe nicht viel Zeit.»
«Immer mußt du etwas Besonderes machen», seufzte sie. «Wie kommt es, daß du nicht zufrieden bist mit deinem Leben? Warum mußt du noch mehr von den Weißen lernen?»
Sie sah mir bei der Arbeit zu, schaute auf meine Hände, die noch ungeschickt waren.
Dann sagte sie:
«Wo ist dieses Land? Wer geht da hin? Und warum?»
Über meine Arbeit gebeugt, erzählte ich ihr von dem Wagen und von den Kindern, die in Keams Canyon in die Internatsschule gingen und jetzt nach Kalifornien fuhren.
«Ich habe von dieser Schule gehört», sagte Mutter. «Dein Vater hat mir davon erzählt. Kinder von vielen Stämmen gehen dorthin. Sogar Stirnen.»
Für einen Augenblick klammerten meine Hände sich an der Flechtarbeit fest. Stirnen? Ob ich dort überhaupt sicher war? Aber dann fielen mir die Lehrer ein, und ich dachte, daß sie uns vor den Navajo beschützen würden.

Mutter setzte sich neben mich und zeigte mir, wie ich arbeiten mußte. Sie führte meine Hände.
«Ich freue mich, daß du dich jetzt für diese Arbeit interessierst», sagte sie nach einer Weile. «Aber was deinen Plan betrifft, daß du mit irgend jemandem weggehen willst, das kannst du nicht. Du bist zu jung. Du gehörst hierher, zu mir und deinem Vater.»
Ich sagte nichts. Nicht Ja und nicht Nein. Ich machte die Schale fertig, nicht gerade geschickt, und brachte sie in den Laden.
Es war ein kleiner, dunkler Raum, in dem es nach Staub roch und nach Dingen, die ich nicht kannte. Salz, Zucker und Tabak verkaufte der Händler. Kaffee aus Santa Fé. Aber auch einfachen Kattun, Töpfe, Geschirr und andere Sachen. Kleider aus dünnem Stoff. Dafür nahm er die Dinge, die bei uns die Frauen und die Männer machen. Aber er nahm auch Geld von denen, die Geld hatten, weil sie für die Weißen arbeiteten.
Ich hatte noch nie etwas verkauft und hielt ihm wortlos meinen Teller hin, weil ich nicht wußte, was ich sagen sollte.
«Was willst du?» sagte der Mann.
«Orangen bitte.»
Wirklich, er griff in eine Kiste und gab mir Orangen.
Vorsichtig trug ich sie hinaus. Zuerst probierte ich ihren öligen süßen Geruch. Dann rannte ich mit meinem Schatz zum Kliff und stieg den Weg hinauf. Oben suchte ich mir einen Platz und begann zu essen, zaghaft zuerst, denn ihr Geschmack war so stark, daß ich erschrak. Aber sie waren so süß, daß ich mehr wollte. Immer schneller aß ich, bis ich die letzte gierig verschlungen hatte. Ja, sagte ich, ich will nach Kalifornien.
Dann ging ich zu dem Haus, wo das Mädchen wohnte,

mit dem ich im Wagen gesprochen hatte.
Aber sie hatte schlechte Nachrichten für mich. Man durfte nicht mitreisen, ohne daß die Eltern ein Papier unterzeichnet hatten. Damit mußten sie die Erlaubnis geben, daß ihre Kinder in Riverside die Schule des Sherman-Instituts besuchten, denn es gab viele Eltern, die nicht wollten, daß ihre Kinder sie verließen.
Als ich das hörte, ließ ich den Kopf hängen. Nie würden meine Eltern das Zeichen für mich machen. Was sollte ich tun? Sollte ich versuchen, trotzdem einen Weg zu finden? Oder sollte ich zu Hause bleiben und das Hopi-Mädchen werden, das meine Mutter sich wünschte?
Unten beim Pfad gab es einen riesigen Felsbrocken, der vom Kliff abgebrochen und so gegen einen andern Felsen gefallen war, daß er ein Versteck bildete. In diesen Schlupfwinkel setzte ich mich, um nachzudenken. Schon oft hatte ich da gesessen, aber noch nie hatte ich eine so schwierige Entscheidung treffen müssen. Eine Tonscherbe lag zu meinen Füßen, darauf ein Muster, wie man es auf unserm Geschirr nicht mehr fand. Aus alter Gewohnheit nahm ich sie und begann, damit im Sand zu graben.
Ich dachte an den Wagen. Ich stellte mir vor, wie er ohne mich aus Oraibi abfuhr, wie der Fuhrmann die Pferde antrieb und wie Kinder zum Abschied winkten. Ich malte mir ihre glückliche Zeit im Land der Orangen aus, während ich voller Sehnsucht zu Hause blieb und mit leerem Magen auf die nächste kärgliche Mahlzeit wartete.
Ich schleuderte die Tonscherbe in den Sand, ging nach Hause und bat um die Erlaubnis, mit den andern nach Riverside zu gehen.
Meine Eltern weigerten sich.
Ich grübelte und wartete. Ein paarmal sprach ich mit

meiner Freundin. Sie hatte es gut. Sie hatte die Erlaubnis. Warum mußte ausgerechnet ich so strenge Eltern haben?

Am andern Morgen sollte der Wagen abfahren. Am Abend packte ich meine Sachen zusammen, rollte sie zu einem Bündel und versteckte es neben dem Haus. Dann schlief ich einen unruhigen Schlaf voller Träume, und bevor die erste graue Dämmerung im Osten erschien, kroch ich geräuschlos hinaus, nahm mein Bündel und floh.

Ich schlich mich auf den Platz, warf einen langen Blick in die Tiefe des unendlichen Sternenhimmels, kletterte in den Wagen mit seiner im Halbrund aufgespannten Plane und kroch unter den Sitz. Dort wollte ich bleiben, bis es zu spät war, um mich noch ins Dorf zurückzuschicken.

Es war kühl in dieser Stunde vor der Morgendämmerung, feuchtere Luft kroch in den Wagen. Ich wickelte mich in meine Decke und schlief ein.

«Nanu! Was ist denn das?» sagte der Fuhrmann. Er schaute hinten zum Wagen herein. «Ein blinder Passagier?»

Ich sah ihn erschrocken an. Aber er lachte.

«Nein», sagte ich und schüttelte meinen Kopf, denn ich wußte nicht, was das Wort hieß. «Ich gehe ins Land der Orangen. Und ich bin so früh gekommen, damit du nicht auf mich warten mußt.»

«Ach so», sagte er. «Dann ist es ja gut.»

Ich kroch unter dem Sitz hervor und setzte mich auf die Bank, erleichtert, weil ich mich nicht mehr verstecken mußte. Der Fuhrmann ging um den Wagen herum und klopfte an jedes einzelne Rad. Dann schaute er wieder zu mir herein.

«Du mußt mir dein Papier zeigen.»

«Ich habe kein Papier.»

«Dann kann ich dich nicht mitnehmen.»
Ich schwieg.
«Wenn du keine Erlaubnis hast von deinen Eltern, mußt du aussteigen.»
Ich blieb sitzen. Ich wollte nicht nachgeben. Ich wollte mitfahren.
Der Fuhrmann ging fort und kam mit einem älteren Mädchen aus einem andern Dorf zurück. Sie war für die Schülerinnen verantwortlich.
«Es hilft nichts», sagte sie. «Du mußt aussteigen.»
«Warum?»
«Du bist zu jung. Du würdest dich einsam fühlen. Du würdest nach deinen Eltern weinen, bevor wir auch nur in Winslow angekommen sind.»
«Ich bin alt genug und werde nicht weinen.» Ich war zornig. Nur weil ich kleiner war als andere, glaubten sie, daß ich zu jung war. «Ich steige nicht aus.»
Das Mädchen entfernte sich, ich blieb allein zurück. Als sie wieder kam, brachte sie meine Eltern mit.
Meine Mutter, die immer groß und streng aussah, kam mir noch eindrucksvoller vor als sonst. Sie verlangsamte ihren Schritt und blieb vor dem Wagen stehen. Ich senkte die Augen, denn ich wußte, daß sie mir nicht erlauben würde, fortzugehen.
Ich suchte im Gesicht meines kleinen Vaters nach einem Zeichen, einer Antwort. Er hatte eine Reise gemacht. Er hatte Schulen gesehen. Er wußte, daß nicht alles, was man dort lernt, schlecht ist. Und er wünschte sich, daß seine Kinder etwas lernten.
«Ich glaube, wir sollten ihr erlauben zu gehen», sagte er. «Man wird sie dort gut versorgen. Sie wird mehr über die geschriebenen Zeichen lernen, die in den Büchern sind. Ich glaube, wir sollten das Papier unterzeichnen.»
Meine Mutter gab nach. «Es soll geschehen, wie du

sagst», sagte sie deutlich und wandte sich ab, um die Tränen in ihren Augen zu verbergen.

Bevor der Wagen abfuhr, kam mein Vater noch einmal, um mir Lebewohl zu sagen. Schon von weitem sah ich ihn, wagte aber nicht, aus dem Wagen zu klettern, so sehr fürchtete ich, sie könnten ohne mich abfahren.

Seine Schritte drückten zu gleicher Zeit eine Entschlossenheit und ein Zögern aus, das mir mit Tränen fast den Hals zuschnürte. Und während ich mühsam das Weinen zurückhielt, war ich zugleich unbeschreiblich glücklich, weil ich ins Land der Orangen reisen und mich satt essen und unbekannte Dinge sehen und lernen und am Ende wieder nach Hause kommen durfte.

Als mein Vater unter dem Wagen stand und zu mir heraufschaute, mußte ich plötzlich denken: er ist genauso klein, wie ich es bin.

Wir lächelten beide.

Er legte drei Silberdollars in meine Hand. Das war sein Lohn für sechs Tage harter Arbeit beim Missionar. So viel Geld hatte ich noch nie gesehen. Ehrfürchtig knotete ich die Silberstücke in eine Ecke meines roten Schals und hielt den Knoten fest in der Hand aus Angst, mein Vermögen zu verlieren.

Wie reich ich mich fühlte!

Während der Wagen wegrollte von zu Hause, weg von meinen Eltern, von meinen Brüdern, meiner Schwester und den Großeltern, summte mir der Kopf von Plänen, wofür ich das Geld ausgeben wollte. Was für eine Menge Sachen konnte man damit kaufen!

Auf den Feldern wiegte sich der Mais, für den unser Volk das ganze Jahr arbeitete und betete. Es war kurz vor der Ernte, und an den Kanten begann er schon zu trocknen. Reife Melonen lagen am Boden. Dann kam der schimmernde, warme Sand, umgetrieben vom Wüstenwind, die dürren Landstriche mit ihren Wacholdern, ihren Dornen, die Wellen und Anhöhen der steinigen Landschaft. In der Ferne ein Kaktus, auf dem eine einzelne leuchtendrote Blüte glühte. Hinter uns blieben die Mesas zurück, lagen als gelb und rot aufgeschichtete Wand am Horizont des Nordens, und das Licht von Vater Sonne schien auf sie.

Die lange Reise durch die Wüste war wie ein Fest. Ab und zu stiegen wir aus und gingen ein Stück zu Fuß, um die Beine zu strecken, während der Wagen langsam weiterrumpelte. Immer, wenn die Pferde ausruhten, spielten wir, jagten kleine Wüstentiere. Und wenn wir wieder zusammengedrängt auf unsern Bänken saßen und die Räder des Wagens über die Steine holperten, sangen wir die alten Lieder. Das Präriehundlied. Das Kojotenlied. Das Lied von der kleinen Eule im Versteck.

Aber in jener Nacht, als wir am Ufer des Kleinen Colorado kampierten, schien mir die Welt kalt und feindselig. Der Wind raschelte mit den Gräsern, kleine Tiere zuckten. Die Kojoten heulten, daß es mich schauderte. Ich rollte mich in meine Decke wie die andern, hörte zu, wie sie einschliefen, und dachte an meine geduldige Mutter, an meine liebevollen Brüder, an Duvangyamsi, Schönblumiges Land, die ihr kleines Baby im Arm hielt. Nein, dachte ich, ich will nicht zurück. Ich will nach Kalifornien. Aber Tränen quollen unter meinen Augenlidern hervor. Schnell schaute ich mich unter den Schlafenden um. Niemand merkte, daß ich weinte. Und niemand würde es merken, wenn ich jetzt ganz leise mein Bündel nehmen, mich wegschleichen und ins Dorf zurückkehren würde, indem ich den Wagenspuren folgte. In zwei, höchstens drei Tagen konnte ich es schaffen.

Dann dachte ich an meine Mutter. Ich sah ihre anklagenden schwarzen Augen und hörte ihre strengen Worte:
«Bring zu Ende, was du anfängst, Polingaysi. Wer seine Sachen halb fertig liegenläßt, bekommt Beulen auf dem Kopf. Willst du Beulen auf dem Kopf haben, mein Kind?»
In der Dunkelheit tasteten sich meine Finger zur Kopfhaut hinauf. Ich fand noch keine Anzeichen dafür, daß sich Beulen bildeten. Aber es war am besten, das Risiko gar nicht erst einzugehen. Und Mutter würde böse sein auf mich, wenn ich wimmernd und schniefend zurückrannte, ein feiges Mädchen, das vor seinem eigenen Entschluß davonlief.
Es gab keinen Weg zurück.
Nie hatte ich anderswo als zu Hause oder bei meiner Großmutter geschlafen, bloß jene beiden schrecklichen Nächte, die wir in der Mission zubringen mußten. Und nun hatte ich mich mit Absicht von dem entfernt, was unser Leben war. Was immer mit mir geschah, es war meine eigene Schuld. Und es war meine Aufgabe, die Folgen ohne Klage zu ertragen. Die andern Kinder schienen erst am folgenden Morgen zu begreifen, daß sie wirklich dabei waren, ihre Wüstenheimat zu verlassen. Still saßen sie im Wagen, bis ins Innerste verängstigt.
Nach unsern Pueblo-Dörfern, die sich auf den felsigen ächern der Mesas zusammendrängten, kam uns Winslow wie eine riesengroße Stadt vor, aus der ein unaufhörlicher Lärm aufstieg. Die Straßen schienen von Männern und Frauen zu wimmeln, Frachtwagen, leichte vierrädrige Kutschen und Karren fuhren auf der Hauptstraße umher. Es war ein Hasten und Rufen und Peitschenknallen, daß uns der Atem stockte. Wir preßten unsere Bündel an uns, drängten uns zusam-

men und wagten kaum, uns umzuschauen. Cowboys und Navajo auf großen, starken Pferden verlangsamten ihren Schritt und drehten sich um, um uns anzustarren, einen wild aussehenden kleinen Haufen von den Mesas.

Und wenn ich heute in diesem Zug sitze, der mich wieder nach Winslow bringen soll, auf den Knien meine neue Tasche und über mir einen Koffer mit schönen Kleidern, die ich selber genäht habe, mit weißer Körperwäsche, richtigen Schuhen und wunderbar duftender Seife, dann sehe ich uns wieder vor mir, wie wir vor vier Jahren durch die Stadt gelaufen sind. Mit abgetragenen Drillichkleidern, billigem Schuhwerk, Hopi-Schultertüchern, den minderwertigen Schals, die der Mann im Trading Post verkaufte, und mit undurchdringlichen erschrockenen Gesichtern. Die Jungen waren genauso ungepflegt in ihren selbstgemachten Mehlsackhemden und Drellhosen und genauso scheu und ängstlich wie die Mädchen.

Plötzlich fanden wir uns in einem Laden, wie wir noch nie einen gesehen hatten. Die Aufseherin hatte uns hineingeführt. Und da standen wir und staunten. Unbeschreibliche Mengen von eßbaren Dingen, von Kleidung, Geschirr und andern Sachen waren in einem Gewirr von Regalen ausgestellt, zwischen denen wir umhergingen, bis wir kaum noch unsern Weg fanden. Was für ein unbegreifliches Leben in Verwirrung und Überfluß mußten die Weißen leben, die Tag für Tag in solchen Läden einkaufen konnten.

In der Nacht schliefen wir in einem Lagerhaus. Am nächsten Morgen wurden wir in einen Personenzug nach Riverside gepfercht, und die Reise konnte beginnen. Noch nie hatte ich ein so ohrenbetäubendes Getöse gehört. Und nie hätte ich für möglich gehalten, daß

es so viel Bewegung und Gestampfe und Maschinengerassel geben konnte.
Ich saß steif neben den andern Mädchen und starrte die wechselnde Aussicht an. Die Gewächse verwandelten sich von Wüstenastern in kleine Wacholder- und Nadelbäumchen, und als der Zug in höheres Gelände kam, erschienen Goldkiefern mit rosigen Stämmen und grünen Nadeln.
Einer von den Jungen war der erste, der die beschneiten Höhen der San-Francisco-Berge entdeckte, die sich über Flagstaff auftürmen.
«Seht!» flüsterte er. «Dort!» Er zeigte die Richtung, indem er die Lippen spitzte und mit dem Kinn dorthin zeigte. Alle gingen wir auf die Nordseite des Waggons und starrten andächtig auf die Gipfel. Unwirklich und schön leuchteten sie über dem Land. Bei uns unten war es heiß, eine glühende, trockene Hitze, die sich auch im Eisenbahnabteil ausbreitete und den Staub flimmern ließ. Die Berge aber waren grün von Büschen und Bäumen, und ihre Gipfel weiß. «Nuvadakaovi!»
Mein ganzes Leben hatte ich sie gekannt. Aber noch nie hatte ich sie von nahem gesehen. Auf diesen zerklüfteten schroffen Bergen lebten die Kachina-Leute, von denen mein Vater abstammte. Und erst vor kurzer Zeit waren sie aus unsern Dörfern hierher zurückgekehrt. Einen Augenblick wünschte ich mir, sie zu sehen. Dann mußte ich lächeln über diesen Wunsch.
Während wir schauten und staunten, kam ein Mann durch den Wagen, der Obst verkaufte. Da vergaß ich die Berge. Ich konnte meine Augen nicht mehr von den Früchten losreißen und überlegte, ob ich einen Teil meines Vermögens dafür ausgeben sollte. Äpfel und Orangen hatte er im Korb. Die kannte ich. Dann noch lange gelbe Früchte, die wie viele fette Finger in einem Bündel wuchsen.

Fragend sah ich mich um. Es war auch ein Ehepaar unter uns, noch sehr jung beide, die unbedingt in Kalifornien in die Schule gehen wollten. Ich fragte die junge Frau nach den Früchten. Doch sie kicherte und verbarg ihr Gesicht. Ihr Mann jedoch kannte die Früchte. «Bananen», sagte er. «Schmecken gut, aber sehr süß. Ich mag sie nicht.»

Ich war neugierig und beschloß, eine davon zu probieren. Auch einen Apfel und eine Orange kaufte ich. Dann schaute ich meine Silberdollars an und war entsetzt, als ich sah, wie viel davon ich schon ausgegeben hatte. Für drei Früchte. Mit bitteren Gefühlen der Scham knotete ich den Rest wieder in meinen Schal. Der junge Mann zeigte mir, wie man die Banane schält, und dann biß ich vorsichtig ein Stück ab. Angewidert wischte ich mir die Lippen. Die Frucht roch sonderbar und fühlte sich auf ekelerregende Weise breiig an. Dann nahm ich noch einen Bissen und konnte ihn fast nicht herunterbringen.

Dafür habe ich mein Geld verschwendet, dachte ich voller Reue. Den Rest der Banane habe ich verschenkt. Wie töricht war ich gewesen. Ich will nichts mehr von meinem Geld ausgeben, bis wir ins Land der Orangen kommen, schwor ich mir. Und ich habe meinen Schwur gehalten. Zuerst hatte ich noch den Apfel und die Orange. Und dann bekam ich wieder Hunger. Hunger, wie ich ihn mein ganzes Leben lang gekannt hatte. Aber jedesmal, wenn ich in Versuchung war, meinen Schwur zu brechen, trank ich einen Becher Wasser, um mich schwer zu machen, wie meine Mutter es in den schlechten Zeiten getan hatte.

Als wir in Riverside angekommen waren, ganz benommen von Anstrengung und Entmutigung, wurden wir in Schlafsäle gebracht. Ich war die jüngste und die

kleinste von allen. Die Aufseherin kam und wies mir einen Platz in einem Mädchenschlafsaal zu.
Dann wurde ich in den Waschsaal gebracht. Die Aufseherin sagte, ich solle mich ausziehen und duschen.
An der Wand waren Rohre, aus deren oberem Ende Wasser geströmt kam. Und ich sollte meine Kleider ausziehen, mich darunterstellen und duschen. Ich wurde starr vor Angst, kauerte mich in eine Ecke, starrte mit aufgerissenen Augen ins Leere und rührte mich nicht mehr.
Das war das Schlimmste für ein Hopi-Mädchen. Wie konnte man wissen, aus was für einer Quelle dieses herabströmende Wasser kam? Und wie konnte ich sicher sein, daß nicht die Wasserschlange aus der Brause herausschaute?
Die Angst vor Schlangen war etwas vom ersten, was ich gelernt habe. Alle Frauen fürchten die Wasserschlange. Ich war fast noch ein Baby, konnte kaum laufen und wackelte mit meinem kleinen Wasserkrug auf dem Rücken hinter meiner Mutter her auf dem Weg zur Dorfquelle. Damals war sie wie ein riesiger Trichter, der sich nach unten verengte, wo ein Wasserbecken war. Es spiegelte den blauen Himmel und die farbenprächtigen Klippen, während um uns tiefer Schatten herrschte. In den steilen Seitenwänden waren Stufen, und dort verbrachten die Frauen oft Stunden, in denen sie schwatzten und darauf warteten, daß sie an die Reihe kämen, ihre Krüge zu füllen.
Ich schaute zu und sah alles. Wenn meine Mutter an die Quelle trat, wickelte sie das Kleid fest um ihre Beine, bevor sie sich niederbeugte, um ihren Wigoro zu füllen. Uns gegenüber, dort, wo das Wasser aus dem moosigen Felsen sickerte, war ein tönerner Topf im Wasser. Sehr schön sah er aus in diesem geheimnisvollen Licht. Und über ihm bewegte sich etwas. Es

war eine Feder an einem Gebetsstab, der in eine kleine Nische über dem Wasser und dem eingetauchten Krug gesteckt war.
«Sieh doch, Mutter», sagte ich. «Da hat jemand einen kleinen Topf verloren!»
Meine Mutter wäre fast ins Wasser gefallen, so heftig zuckte sie zusammen. «Schau nicht zurück und sprich nicht!» zischte sie. «Nicht hier unten. Willst du von der Wasserschlange verzaubert werden?»
Das strenge und angstvolle Gesicht der Mutter und die Eile, mit der sie ihren Krug füllte und aus dem Trichter der Quelle wieder hinaufeilte, waren so eindrucksvoll, daß ich dieses Erlebnis nie mehr vergessen werde. Ich wagte nicht, sie noch einmal zu fragen. Erst viel später habe ich erfahren, warum die Frauen bei der Quelle ihre Röcke so fest um sich wickelten. Sie wollten sich vor der Schlange schützen, denn die Schlange konnte eine Frau oder ein Mädchen schwanger machen einfach dadurch, daß sie sie anhauchte. Und dieser kleine Topf, das war ein Umpflanzkrug, der dort von einem Regenmacher versenkt und darum heilig war. Ihn wegzunehmen wäre sehr gefährlich gewesen.
Und jetzt, hier, in diesem fremden Raum mit dem vielen Wasser, forderte man mich auf, nicht nur meinen Körper zu entblößen, sondern mich auch unter den Wasserstrom zu stellen, wo die Wasserschlange mich sehen und vielleicht sogar anhauchen konnte.
«Steh auf!» sagte die Aufseherin. «So viel Zeit habe ich nicht.»
Ich rührte mich nicht.
«Hast du Angst, dich naß zu machen? Keine Sorge, du Dreckspatz. Es tut nicht weh. Los! Du mußt duschen wie alle andern auch!»
Dann tat ich, wie sie sagte, bebend vor Angst.

In dieser Nacht schlief ich zum erstenmal in einem Bett. Ganz schwindlig vor Aufregung kletterte ich hinauf und fühlte die Weichheit der Matratze unter den straffgezogenen Laken. Mein Bett war eins von vielen, die nebeneinander in dem Saal aufgestellt waren. In jedem Bett lag ein Mädchen. Und jedes Mädchen war fremd. Keines kam aus meiner Heimat. Aus jedem dieser Betten sahen Augen zu, wie ich in mein Bett stieg und meinen frisch gewaschenen Kopf auf das ungewohnte weiße Kissen legte. Aber niemand sprach ein Wort der Begrüßung. Niemand lächelte. Fremde waren sie, die nicht zu wissen schienen, wie man sich fühlt, wenn man zum ersten Mal in diese neue, erschreckende Welt kommt. Dabei waren sie selber einmal neu gewesen. Konnte man das vergessen? Kaum hatte ich die Decke über mich gezogen, als unwiderstehlich meine Tränen zu fließen begannen. Ich versuchte zu zwinkern, um sie zurückzudrängen, aber es half nichts, sie strömten wie eine Quelle unter meinen geschlossenen Lidern hervor. Ich drückte den Kopf ins Kissen und weinte und weinte, bis alle meine Tränen aufgebraucht waren.

Wochen vergingen, und jede einzelne Nacht glich dieser ersten.

Die Tage waren lang. Und wenn ich mich abends ins Bett legte, war ich todmüde. Müde von allem, was neu und fremd war. Müde von dem quälenden Gefühl, daß ich nie schaffen würde, was hier von mir verlangt wurde. Müde vom Heimweh. Und müde von der Arbeit. Wir alle mußten im Institut arbeiten, weil wir kein Schulgeld bezahlten, mußten putzen, den Tisch decken, Geschirr waschen, Betten machen und helfen, wo wir gerade gebraucht wurden.

Am schlimmsten war das Scheuern. Wir waren ein halbes Dutzend Mädchen, die jeden Samstag den Fußboden des Speisesaals putzten. Wir ließen uns auf die Knie nieder, tauchten die Bürsten in Schmierseife und begannen zu scheuern. Stück für Stück. Dann wurde gespült und trockengewischt, bevor ein neues Stück an die Reihe kam. Wie langsam wir uns vorwärtsarbeiteten. Und wie riesengroß dieser Speisesaal war. Mit schmerzenden Knien standen wir schließlich auf. Die Hände taten uns weh. Und noch wenn wir ins Bett gingen, hatten wir den beißenden Geruch des Mittels in der Nase, das wir ins Wasser gießen mußten, damit die Sauberkeit vollständig war. Jede andere Arbeit hätte ich lieber gemacht. Und am meisten beneidete ich die Mädchen, die in der Schulwäscherei arbeiten durften.

So schwer hatte ich es mir nicht vorgestellt, als ich in den Wagen gestiegen war. Ich hatte nicht gewußt, wie viel ich aufgeben mußte von dem, was mein Leben gewesen war. Wie dumm ich gewesen bin, dachte ich, wenn ich so allein im Bett lag, ohne einen Menschen, mit dem ich sprechen konnte. Ich habe nur an Orangen gedacht, nur an das Leben im Überfluß, das es in Kalifornien geben sollte. War es nicht, als hätte mein Magen die Entscheidung gefällt, die mein Herz hätte treffen sollen? Und jetzt, dachte ich, jetzt kann ich Orangen essen. Und sie sind so süß, wie ich sie mir gewünscht habe. Meinen Magen machen sie glücklich. Mein Herz nicht.

Meine Mutter hatte recht. Ein trotziges Kind war ich gewesen. Ein ungeduldiges, ein leichtsinniges, ein abenteuerlustiges Kind, das sein Bündel packt und davonrennt, ohne zu wissen, was es tut.

Und dann sah ich wieder das winzige Mädchen vor mir, noch in seinem Vögelchen-Kleid, das eines

Abends seine Sachen zusammengerollt hatte, weil es die Mesa verlassen, mit den Kachinas in den Bergen leben und genug zu essen haben wollte. Ich weiß, daß ich es getan hätte. Ich wäre ihnen wirklich überallhin gefolgt, wenn sie nicht Menschen gewesen wären. Aber ich wollte nicht nur mit ihnen gehen, weil sie mir zu essen geben sollten. Ich wollte auch bei ihnen sein, weil ich sie liebte.
In Riverside war niemand, den ich liebte. Niemand, der mich liebhatte.

Wie dumm bin ich gewesen, sagte ich mir wieder und wieder. Und wenn ich es lange genug gesagt hatte, hörte ich eine Stimme in meinem Herzen: «Du irrst dich, Polingaysi. Du bist nicht nur wegen der Orangen gekommen. Du bist auch gekommen, weil du etwas lernen wolltest. So bist du. Schon als du klein warst, wolltest du mehr lernen als andere.»
Und das ist wahr. Ich wollte etwas lernen, um aus der Not und Mühsal unseres Lebens auf der Mesa herauszukommen. Etwas lernen, um später zu arbeiten und Geld zu verdienen und meiner Mutter und meiner ganzen Familie das Leben leichter zu machen. Es tat mir weh zu sehen, wie Mutter unablässig arbeitete, schwer arbeitete, sich mit dem Wasser abschleppte, den Garten bestellte, am Herd stand. Wie sie viele Stunden auf den Knien vor ihren Mahlsteinen lag, um den Mais zu zerkleinern, den die Menschen in Kalifornien einfach in eine Maschine schütteten, bis er am Ende als Mehl wieder herauskam. Ich wollte mein Leben nicht auf den Knien zubringen.
Ich hatte gewußt, daß es nicht leicht sein und daß ich all meine Kraft brauchen würde. Ich hatte geglaubt, daß ich stark genug war. Jetzt mußte ich erleben, wie schwach ich war. Wie klein. Wie unwissend.

Ich konnte nicht einmal genug Englisch. Drei Jahre war ich in die Schule gegangen, und immer noch sprach ich viele Wörter falsch aus. Die meisten Wörter kannte ich überhaupt nicht. Wieder mußte ich erleben, daß ich nicht verstehen konnte, was die Weißen sagten. Und daß ich nicht sagen konnte, was ich sagen wollte. Wie ein stummer Fisch war ich. Ich fühlte mich krank. Aber ich sagte es keinem. Ich dachte an meine Mutter. Wenn sie eine Zeitlang Sorgen gehabt hatte, sagte sie, sie fühlte sich, als hätte sie Steine im Magen. Jetzt hatte ich Steine im Magen.

Ich weiß nicht, wie ich diese Zeit ertragen hätte, wenn nicht ein Trost dagewesen wäre.

In unserer Schule wurde viel gesungen. Und wenn ich singen durfte, konnte ich alles Schwere vergessen. Es war, als könnte ich fliegen, denn die Gesänge, das waren die Flügel meines Herzens. Es machte auch nichts, wenn ich die Wörter nicht verstand. Darüber konnte ich lachen. «Jesus loves me, this I know», sang ich und dachte: Deso lasmi, desi no. Niemand wußte, warum ich lachen mußte.

Meine Stimme war stark. Und ich? War ich nicht auch stark? Wäre ich sonst dageblieben? Hätte ich nicht einen Weg gesucht, um nach Hause zurückzukommen?

Vielleicht war es kein Zeichen von Schwäche, wenn ich so traurig war.

Nein, sagte ich mir. Ich habe gewußt, daß es ein Schritt ins Ungewisse war. Ich habe es gewollt. Ich war stark genug, es zu ertragen. Ich war alt genug.

Und wenn vor dem Frühstück das Tischgebet gesprochen war, fügte ich mein eigenes Gebet hinzu. Ich betete um Kraft, daß ich die harte Arbeit leisten, und um Verstand, daß ich die Anforderungen der Schulstunden erfüllen konnte. Samstags scheuerte ich den

Boden des Eßsaals, bis mir die Knie wehtaten, und sonntags schrieb ich Briefe nach Hause. Dann stellte ich mir die Gesichter von Mutter und Vater vor, wenn der Missionar ihnen vorlas, was ich geschrieben hatte. Aber ich schrieb kein Wort darüber, wie unglücklich ich war.

So waren ein paar Wochen vergangen, als eines Tages eine Gruppe von uns nach Arlington reisen und bei der Tomatenernte helfen sollte. Dort ist der Gutshof des Sherman-Instituts. Und ich war dabei. Ich war glücklich. An einem blauen Herbstmorgen kletterten wir auf einen großen Bauernwagen und fuhren los. Für uns war es ein Fest. Lachend und singend kamen wir auf dem Gut an.

Das erste, was uns auffiel, waren die Kühe. Riesige schwere Kühe, wie wir sie noch nie gesehen hatten. Wir kannten nur das genügsame Vieh, das auf unsern Einödweiden grast. Wir staunten die Tiere an, und die Kühe staunten uns an mit ihren tiefen, gütigen Augen. Und zahllose Hühner liefen auf einem riesigen eingezäunten Hof umher. Nicht wie unsere Hühner, die frei über die lehmigen Straßen laufen. Ich hätte stundenlang zuschauen können, wie sie im Sand scharrten, nach unsichtbaren Dingen pickten und nachmittags sich neben den Büschen in ihre Sandkuhlen legten. Sie baden im Sand. Nicht im Wasser. Und dazu ihr leises, glückliches Gurren.

Zum Arbeiten waren wir auf das Gut gekommen, aber wir fühlten uns wie auf einem Picknick, kleine Kinder, große Kinder und sogar Mädchen, die schon erwachsen waren. Singend saßen wir in der Küche und schälten Kartoffeln. Es war kaum zu fassen, wie unendlich viele Vorräte in den Kammern lagen. Kartoffeln gab es genauso reichlich wie Orangen. Und wir

durften so viele rohe Süßkartoffeln essen, wie wir wollten, während wir Eimer um Eimer voll schälten, die dann zum Kochen in die riesigen Kessel kamen. Hier waren wir mitten in dem Land des Überflusses, von dem wir zu Hause geträumt hatten.
In meiner Begeisterung schrieb ich einen Brief über die Wagenladungen von Orangen, die das Gut verließen, die unübersehbaren Felder von Wassermelonen, die süßen Kartoffeln und die Kürbisse, über den Käse und die Butter.
Ich konnte mir Mutters Gesicht vorstellen, wenn sie von den Hühnern und den Kühen hörte. Und ihr angewidertes Gesicht, wenn ich von Butter erzählte. Mutter ließ sich nicht von der Überzeugung abbringen, daß Butter giftig war und zu nichts anderem zu gebrauchen, als sie sich ins Gesicht zu streichen.
Es gab ein Schulzimmer auf dem Gut, wo wir im Lesen und Rechnen unterrichtet wurden. Aber wir lernten auch vieles über Gemüse und Obst, und ich beschloß, nicht das kleinste bißchen davon zu vergessen, weil ich es später, wenn ich einen eigenen Garten hatte, brauchen wollte.
Aber die Ernte ging vorbei, und wir mußten in den Alltag zurück, nach Riverside. Zurück in den alten Schlafsaal. Trotzdem war es, als wäre eine schwache Hoffnung in mir gewachsen. Plötzlich hielt ich es für möglich, daß ich es ertragen konnte. Ich begann mit den andern Kindern zu sprechen.

Das Mädchen, das im Bett neben mir schlief, war eine Navajo. Ich hatte mich immer ein wenig vor ihr gefürchtet. Jetzt merkte ich, daß auch sie sich nach ihren Geschwistern sehnte. Und daß auch sie nicht wußten, wovon sie leben sollten. In einem flachen Erdhaus wohnten sie, weit von der nächsten Familie

entfernt in der Nähe einer Quelle. Das war bei Moencopi, auf jenen Weiden, die den Hopi gehört haben. Sie wußte nicht, daß es unrecht war. Sie hatte nie anderswo gewohnt. Bei ihnen sind es nicht die Männer, die weben. Ihre Mutter saß am Webstuhl vor dem Haus, so oft sie Zeit dafür hatte, und webte Teppiche aus bunter Wolle, um sie an die Weißen zu verkaufen.
«Der Mann im Trading Post», sagte das Mädchen, «nimmt Mutters Türkisschmuck und schließt ihn in seiner Schatzkammer ein, wenn sie Wolle braucht für ihre Arbeit. Und erst wenn sie die fertige Arbeit bringt, bekommt sie ihn zurück.» Das hatte ich nicht gewußt.
«Ich habe auch kleine Teppiche gemacht», sagte sie. «Es ist schwerer als Nähen.»
Und später, als wir uns besser kannten, erzählte sie mir die schreckliche Geschichte ihres Volkes. Es war in der Zeit, kurz bevor ihre Mutter geboren wurde, als die Navajo überall von den Weißen gejagt wurden. Ihre Felder wurden zerstört, ihre Schaf- und Pferdeherden eingefangen. Es wurde Winter, Schnee fiel, sie hatten nichts mehr zu essen und konnten keine wilden Früchte mehr sammeln und nicht jagen, wenn sie sich nicht durch ihre Spuren verraten wollten. Sie zogen sich alle nach Canyon de Chelly zurück, in eine weite, langgestreckte Schlucht mit Feldern und unzähligen Pfirsichbäumen, die nur einen schmalen Eingang hat.
«Mein Großvater hat erzählt, wie uns die Soldaten gefolgt sind, wie sie alles zerstört haben, was man noch hätte essen können, sogar die Bäume.»
Halb verhungert haben sie sich in eiskalten Höhlen zusammengedrängt und sahen keine andere Zukunft mehr vor sich als das Verhungern, einen gewaltsamen Tod oder die Gefangenschaft. Dennoch hat es lange gedauert, bis sie bereit waren, sich zu ergeben. Dann

aber begann ein neues Leid. Tausende von Menschen mußten sich zu Fuß und mit wenigen Wagen, auf denen die Alten und Kranken lagen, mühsam in die Gefangenschaft schleppen. Der Pfad der Tränen war dreihundert Kilometer weit bis nach Bosque Redondo, wo sie drei schwere Jahre lang bleiben sollten, hungernd, frierend und verzweifelt. Dann erst entließ man sie in ihre Heimat, mit zu wenig Nahrung, zu wenig Ausrüstung und zu wenigen Tieren, als daß sie hätten überleben können. In tiefem Elend erschien ein Teil von ihnen wieder im Land der Hopi.

Zwei Medizinmänner haben die Navajo zu uns geschickt mit der Bitte, ihnen zu erlauben, in unserem Land zu leben. Zum Pfand gaben sie den Hopi zwei heilige Bündel.

Als ich das hörte, fielen mir die Worte meiner Großmutter ein. «Wir sind im Besitz ihrer heiligen Bündel», hatte sie einmal gesagt. «Sie sind in unserer Hand. Und wenn der richtige Augenblick gekommen ist, werden wir sie ihnen vorweisen und unser Recht verlangen.» Ich hatte den Sinn dieser Worte nie verstanden. Jetzt ahnte ich, was sie zu bedeuten hatten.

Und wenn wir nun in der Bibel von den Mühseligen und Beladenen lasen, mußte ich nicht nur an mein eigenes Volk denken, sondern auch an das meiner Freundin.

Dann kam das Weihnachtsfest. Es sollte mit einer Aufführung gefeiert werden. Ich erschrak, als die Lehrer sagten, ich solle eine Hauptrolle singen. Ich wußte nicht, daß ihnen meine Stimme aufgefallen war. Nein, dachte ich. Ich kann nicht allein singen. Der Gedanke, vor dem Publikum einen Fehler zu machen und die Aufführung zu stören, war unerträglich. Lieber überhaupt nicht mehr singen, dachte ich. Nie mehr. Aber es dauerte nicht lange, und ich war froh, daß die

Lehrer meiner Angst nicht nachgegeben haben. Singen ist nicht schwer, sagte ich mir. Ich werde so lange üben, bis ich sicher bin. Und ich habe geübt. Und ich habe es geschafft.
Von da an nahm das Singen einen großen Teil meiner Schulzeit ein. Wir fuhren in andere Orte, gaben Konzerte in Kirchen, und manchmal war es mir, als lebte ich nur für diese Stunden, in denen ich mich über all meine eingeschlossenen Sehnsüchte, meine Unsicherheit und meine Einsamkeit erheben konnte.

Die Lokomotive pfeift. Ein kleiner sonnenverbrannter Ort mit einer verwitterten Bahnhofsbaracke. Ein paar zerlumpte Kinder kommen auf den staubigen Bahnsteig gerannt und winken, während der Zug ächzend vorbeifährt. Ich winke zurück, und sie lachen. Mir ist, als wüßte ich, was sie denken. Sie beneiden uns darum, daß wir im Zug sitzen und durch das weite Land fahren können. Ich wünschte, ich könnte ihnen sagen, was ich denke. Dabei weiß ich gar nicht, was ich denken soll. Schnurgerade fährt der Zug nach Osten, durch steinige Einöde und die verwitterten Reste von Bergen, ganz wie das Land, auf das wir von der Mesa hinabgeschaut haben. Mit weit offenen Augen sehe ich es an, als müßte ich jeden Stein, jede Falte und jedes Gestrüpp lieben. Die andern Reisenden sitzen mit geschlossenen Augen. Für sie gibt es nichts zu sehen. Und ich bin froh, daß sie aufgehört haben, mich anzustarren.

«Wie alt bist du, Bessie?»
In meinem Kopf höre ich eine Stimme. Es ist die Stimme einer jungen Lehrerin. Sie war immer so freundlich zu mir. Oft blieb sie stehen, um mit mir zu sprechen. Jetzt aber erschrak ich und blickte auf meine Füße. Was sollte ich sagen?

«Ich weiß nicht.»
«Komm, Bessie», sagte sie, «du kannst es mir ruhig sagen. Wann hast du Geburtstag?»
Geburtstag. Was für ein verwirrender Gedanke. Bei uns gab es so etwas nicht. Man wurde geboren. Man lebte. Man starb. Kam es denn darauf an, wann das geschah? Und nun erwartete sie von mir, daß ich wußte, wann ich Geburtstag hatte. Eine würgende Trauer stieg mir in die Kehle. Ich trocknete mir die feuchten Hände an meinem Kleid und sah mich hilfesuchend um. Da trat eine ältere Lehrerin auf uns zu.
«Ich glaube, Bessie weiß wirklich nichts von ihrem Geburtstag», sagte sie. «Ihre Mutter wird ungefähr wissen, in welchem Monat es war, mit welchem Dorfereignis oder mit welchem Fest ihre Geburt zusammenfiel. Aber den Tag kennt niemand. Es war damals nicht üblich, das aufzuzeichnen. Wir glauben, daß Bessie ungefähr vierzehn ist.»
«Oh, Bessie», sagte die junge Frau erschrocken. «Es tut mir so leid. Ich wollte dich nicht kränken.»
Von diesem Tag an konnten wir freier miteinander sprechen. Und eines Tages lud mich die Lehrerin ein, mit ihr und ihrem Mann im Hause zu leben und bei der Hausarbeit zu helfen. Wenn ich jetzt daran denke, wie freundlich sie zu mir waren, dann wünschte ich, ich könnte noch bei ihnen sein. Sie hatten keine Kinder. Ich aber war so schüchtern und so voller Zweifel an meinen Fähigkeiten, daß ich lange Zeit verschlossen und schweigsam blieb. Geduldig zeigte mir die Frau, wie man die Hausarbeit macht. Wie oft habe ich gefürchtet, sie würde mich auslachen, aber sie hat es nie getan. Heute muß ich lachen, wenn ich daran denke, wie ich Reis kochen sollte. Damals habe ich mich geschämt. Zuerst schien es ganz einfach zu sein. Der Reis war in einem Glas, und ich fragte mich, ob es

wohl genug war. Fünf Tassen füllte ich in einen Topf, bedeckte ihn mit Wasser und stellte den Topf aufs Feuer. Was dann geschah, war schrecklich. Nach ein paar Minuten mußte ich einen größeren Topf suchen, immer wieder Wasser nachfüllen, und während alles kochte, rührte ich so kräftig, wie ich es vom Mais gewöhnt war. Das Ergebnis war ein klebriger Matsch. Am liebsten wäre ich in den Boden versunken. Aber niemand war böse auf mich. Ich lernte, wie man es richtig macht. Und nicht nur das. Vor allem lernte ich, ihre Sprache besser zu verstehen und zu sprechen. Sehr, sehr langsam bin ich aus dem Schneckenhaus meiner Zweifel herausgekrochen. Ich war glücklich, etwas zu lernen. Und als sie mir sagten, sie würden mich für meine Arbeit bezahlen, konnte ich es kaum fassen vor Freude. Nie hatte ich Geld besessen außer den drei Dollars, die mein Vater mir gegeben hatte, und jetzt sollte ich mein eigenes Geld verdienen. Die Lehrerin legte meinen Lohn auf ein Konto, damit ich sparen und, wenn ich etwas brauchte, Geld abheben konnte.

«Ich werde sparen!» sagte ich. «Und wenn ich viele Dollars habe, will ich alles herausnehmen und etwas ganz Großes damit machen. Vielleicht ein Haus bauen.»

Die Lehrerin lachte.

Aber ich wollte wirklich ein Haus bauen. Und darin wollte ich leben, wie diese Menschen lebten. Ich wollte arbeiten und Geld verdienen. Und ich wollte eine luftige Vorratskammer haben mit vielen Regalen, und darauf sollten blitzende Gläser mit Eingemachtem stehen, mit Pfirsichen, Birnen, Appetithappen, süßem Mais, mit Kirschen und Tomaten. So viele Vorräte. Wenn meine Mutter das sehen könnte, dachte ich jedesmal. Wenn sie es bloß sehen könnte!

Und wenn ich jetzt zum Zugfenster hinauschaue, kommen mir Zweifel, woher ich all die saftigen Früchte nehmen soll in dieser Dürre. Man muß Brunnen graben, denke ich. Wenn man tief genug gräbt, wird man Wasser finden. Und wenn man Wasser hat, wird alles besser wachsen. Denn wäre nicht auch Kalifornien eine Wüste, wenn die Menschen das Wasser nicht herbeiholen würden? Regen haben sie dort kaum.

Als die Sommerferien kamen, hätte ich nach Oraibi zurückfahren können. Die andern taten es. Aber ich hatte keine Lust dazu. Ich wollte dableiben, lernen und Geld verdienen.

Im zweiten Jahr wurde die Arbeit in der Schule leichter. Endlich hatte das Putzen ein Ende, ich durfte in die Schulwäscherei. Zuerst mußte man Strümpfe stopfen. Es sah leicht aus, war aber schwer. Und die Lehrerin nahm es so genau, daß ich am Anfang die meisten Stiche wieder aufmachen und von vorne beginnen mußte. Als ich es endlich konnte, ging es ans Flicken und Reparieren. Nur langsam taten meine Hände, was ich von ihnen verlangte. Dann aber begann es mir Freude zu machen. Und schließlich durfte ich neue Stoffe auf der Nähmaschine nähen. Das gefiel mir.

Ich schließe die Augen und höre auf das Geräusch der Nähmaschine. Tarratat, tarratat. Und der Stoff gleitet mir unter den Händen hin, so schnell geht es, und die Nähte werden so schön und so gerade, daß meine Mutter staunen würde. Endlich wußte ich, daß auch meine Hände geschickt waren. Und das brachte mich auf eine Idee. Ich wollte Kleider für die andern Mädchen nähen, um Geld zu verdienen. Den Lehrerinnen gefielen die Kleider, die ich machte, sie ermutigten mich, und bald verdiente ich mehr als meine spärlichen drei Dollars in der Woche.

Und während der Staub durch die Ritzen des Zuges hereindringt, sich auf meine verschwitzte Haut legt und mir beim Atmen in die Nase steigt, denke ich an das Land des Duftes im Westen, an Zitronenhaine und Orangengärten, an den bittersüßen, erdrückenden Geruch der Früchte und an das erstickte Schluchzen des Kindes, das ich gewesen bin. Wenn der Nebel vom Pazifik herüberkam und der Duft der Orangenblüten noch stärker wurde, habe ich von Arizona geträumt, die Liebkosungen des Wüstenwinds gefühlt, die großen, unverstellten Weiten vor mir gesehen, den rosa Sand, die bronzegoldenen Sonnenuntergänge und die lächelnden Gesichter der Menschen.

Und doch gingen die vier Jahre schneller zu Ende, als mir lieb war. Mit Zärtlichkeit dachte ich an meine Familie, mit Sehnsucht. Aber ich wäre lieber in Kalifornien geblieben. Ich hatte mit der Zeit viele Freunde gefunden. Ich hatte die weiße Lebensweise gelernt. Ich mochte sie. Und ich hatte so viel Musik gemacht, daß ich mir nicht vorstellen konnte, wie ich ohne sie leben sollte. Der Gedanke, nun nie mehr meine Stimme durch eine der vielen Kirchen klingen zu lassen, war schwer zu ertragen.

Ich habe die andern Mädchen beneidet, die sich auf die Heimreise freuten. Sie freuten sich darauf, wieder so zu leben, wie man auf den Mesas lebt. Sie würden sich ein wenig besser kleiden als früher, mehr von dem verstehen, was draußen vor sich ging, und sie würden zufrieden sein. Sie sprachen davon, wie sie heiraten und Kinder haben wollten, ihr Haus einrichten, die Feste genießen und miteinander am Dorfbrunnen unter dem Kürbiskernhügel stehen.

All das wollte ich nicht. Mich interessierte das Neue. Die Bruchstücke der Vergangenheit, die noch an mir klebten, wollte ich abschütteln. Ich habe mich nach

Zuhause gesehnt und zugleich gewußt, daß ich dort nicht leben kann. Ich habe sie vor mir gesehen, die Frauen im Dorf, hinter ihren Wolldecken, wie sie sich den Zipfel ihres Kleids vor den Mund halten. Und dahinter lachen sie über mich. Nichts würden sie wissen wollen von meinem neuen Leben.

Ach, dachte ich dann, was tut's, wenn ich singen kann wie ein Vogel? Wenn ich kochen kann und nähen? Was kann mir geschehn? Es stimmt, ich bin kein richtiges Hopi-Mädchen mehr. Ich bin das, was ich bin.

Der Zug verlangsamt seine Fahrt.

Ein paar Reiter sehe ich neben den Bahnschienen warten. Navajo, vor denen wir so viele Jahre Angst gehabt haben. Und ich denke an alles, was das Mädchen im Bett neben mir erzählt hat. An das Leid, das sie ertragen mußten. Ich sehe sie mit andern Augen. Und doch weiß ich nicht, ob wir uns sicher fühlen können vor ihnen.

Dann kommen Häuser. Straßen, Werkstätten und Geschäfte.

Winslow. Ich erkenne alles wieder. Die Holzhäuser mit den Säulen. Die Läden, die Restaurants, Frauen mit aufgesteckten Haaren, die ihre Kinder an der Hand halten. Das laute Reden der Männer beim Gehen. Oder sie stehn an den Ecken und rauchen. Bärtige Kutscher, die ihre Pferde schlagen. Und dann das Lagerhaus, in dem wir damals unsere erste Nacht verbracht haben. Der riesige Kessel, in dem das Wasser für die Lokomotiven ist, noch überragt von dem Windrad, das die Pumpe antreibt. Und während der Zug quietscht, kreischt und hält, springen schon die ersten Reisenden hinaus.

Ich wühle mich durch die Menge, um einen stillen Platz zu suchen.

Und da steht er. Vater. Er trägt ein rotes Band um sein schwarzes Haar. So kommt er mir entgegen. Er lächelt. Er heißt mich willkommen. Er liebt mich, und ich liebe ihn.

Gleich beim Depot, wo Lokomotiven und Wagenkombinationen abgestellt sind, hat er seinen kleinen Wagen stehen.

«Als Kind bist du fortgegangen», sagt er. «Als Frau bist du zurückgekommen. Obwohl –», und dazu lächelt er, «du nicht gerade viel gewachsen bist. Trotz all des guten Essens, von dem du geschrieben hast.»

Er hat recht. Ich bin immer noch klein und dünn.

Der Wagen rumpelt durch die Straßen von Winslow. Graues Abendlicht breitet sich aus. Ich hole meinen roten Schal aus der Tasche und lege ihn um. Vater schaut mich an. Schweigend fahren wir aus der Stadt und in die sinkende Nacht hinaus. Dann erst beginnen wir zu reden.

Wir steigen ab, um an einer geschützten Stelle zu übernachten. Vater hat etwas zu essen mitgebracht. Er erzählt mir von Duvangyamsi und ihren Kindern. Von Mutter und Lydia, meiner neuen Schwester, die ich bald sehen werde. Von meinem jüngsten Bruder, der jetzt auch in die Schule geht. Und er fragt nach meinem andern Bruder, der vor einem Jahr nach Riverside gegangen ist.
Großvater liegt krank in seinem Haus in Oraibi.
«Wollen sie nicht auch hinunterziehen? Wenn ihr jetzt alle in Kiakotsmovi wohnt?»
«Nein», sagt Vater. «Wir besuchen sie. Sie wollen ihr Leben dort beenden, wo sie es angefangen haben.»
«Und ihr? Habt ihr es bereut, daß ihr ein Haus im Tal gebaut habt? Ich meine, wollt ihr zurück?»
«Zurück?» sagt Vater. «Nein, wir wollen nicht zurück. Und nicht nur, weil die Felder jetzt näher beim Haus sind, weil Duvangyamsi in der Nähe wohnt und dein Bruder einen kürzeren Schulweg hat. Nein. Oraibi hat nicht mehr zu einem Leben in Frieden zurückgefunden. Das Dorf leert sich langsam. Der Bären-Klan hat durch den Bruch in unsern Reihen sein Gesicht verloren. Du weißt, was es bedeutet, daß sie sich gegen alles gewendet haben, was sie gelernt haben. Gegen unser Wissen und gegen unsern Frieden. Das sind Sünden, die man nicht zur Gebetsstunde über die Schulter spucken kann. Wie sollen sie nun mit reinem Gewissen Vater Sonne gegenübertreten? Darum konnten wir dort nicht mehr leben. Und außerdem waren wir mit dem Herzen bei denen, die nach Westen gehen mußten. Bei ihnen hätten wir sein sollen. In Hotevilla. Nicht in Oraibi. Und so ging es vielen. Es leben nicht mehr viele Familien dort oben. Die Wunden waren zu tief.»
«Ist es die Schuld des Bären-Klans?»

Vater schweigt.
«Ja», sagt er dann, «der Bären-Klan trägt Schuld. Aber viele sagen, es sei die Schuld des Spinnen-Klans. Von ihm heißt es von Anfang an, er werde das Schlechte und das Böse hervorbringen. Du kennst die Geschichten. Er müsse von dieser Erde gefegt werden, heißt es, wie jene Bösen, die entkommen sind, als wir aus der unteren Welt aufgestiegen sind. Ich weiß nicht, ob es so ist. Aber es war in der Kiva des Spinaen-Klans, daß es mir zum erstenmal deutlich wurde, wie gefährlich unsere Lage war. In dieser Nacht hörte ich Yukioma in unversöhnlichem Zorn vom weißen Mann reden und davon, daß Lololoma ihn willkommen geheißen und den Bleistift genommen hatte. ‹Er hat uns betrogen›, sagte Yukioma. ‹Er wird uns den Wagenpfad des Bahána hinabführen. Wenn wir ihm folgen, gehen wir in die Sklaverei.› Wir alle waren der Meinung, daß Lololoma ein Schwächling war. Aber viele dachten doch an die guten Dinge, die der große weiße Vater in Washington versprochen hat. Das Militär sollte uns schützen vor den Überfällen der Ute und der Navajo. Und es war nicht die Schuld des Häuptlings, wenn die Wagen, die Kochherde und andern Dinge, die uns versprochen wurden, nicht angekommen sind.»
Ich nickte.
«Aber Yukioma», sagte Vater, «der Führer des Spinnen-Klans, wollte keine Versöhnung, keine Veränderung. ‹Es wird eine Zeit kommen›, sagte er, ‹in der die Feindschaft aufbrechen wird. Und wenn diese Zeit kommt, werden alle, die mir folgen wollen, den alten Weg unseres Volkes gehen. Wenn wir besiegt werden, müssen wir Oraibi verlassen. Wir werden weit nach Norden gehen ins Dorf unserer Vorfahren, das jetzt in Ruinen liegt, und dort leben.›»
«Er hat es gewußt?»

«Ja. Eigentlich haben es alle gewußt. Es war vorherbestimmt.»
«Wie ist das möglich?» sage ich. «Ich habe gelernt, daß der Frieden unsere Bestimmung ist.»
Traurig nickt Vater.
«So ist es. Seit der Kindheit sind wir gewarnt worden vor bitteren Gedanken. Immer wieder hat man uns gesagt, daß es für den Hopi keine Rache gibt. Und doch mußte es geschehen. In der Stunde der Krise haben wir unsere Grundsätze vergessen. Und es war nicht das erstemal.»
«Du meinst, daß Oraibi gegründet wurde, weil ein Bruder den andern vertrieben hatte?»
«Ja. In unserer Geschichte ist viel Licht, aber auch viel Dunkel. Und der schwerste, der dunkelste Schatten ist die Geschichte von Awátowi.»
«Awátowi? Wo niemand wohnt und Massau-u herrscht?»
«Du kennst die Geschichte nicht», sagt Vater. «Sie ist nicht gut für Kinder. Aber jetzt bist du erwachsen. Und wie die Spaltung von Oraibi mit den Weißen aus Washington zu tun hat, hängt das Schicksal Awátowis mit den Spaniern zusammen. Du weißt, daß unserm Volk in der Vorzeit verheißen wurde, daß eines Tages der gute Bahána kommen würde, der gute weiße Bruder, mit dem wir Seite an Seite leben und unsere Lehren zu einer neuen Religion verbinden können.
Wir wußten, wo wir ihn treffen würden, wann er käme, und hatten lange Zeit an einem Stab Striche gemacht. So wußten wir, daß es zwanzig Jahre über die Zeit war. Dann kamen die Spanier. Unsere Klanführer begrüßten sie und stellten sie auf die Probe. Der Häuptling hielt ihnen die Hand hin, mit der Handfläche nach oben. Und wenn er nach der alten Vereinbarung handelte, würde der weiße Anführer seine Hand

auf die gleiche Weise ausstrecken und mit der Hand des Häuptlings das Symbol der Brüderschaft bilden. Er aber legte ein Geschenk hinein. Da wußten wir, daß er nicht der echte Bahána war. Wir mußten mit Schwierigkeiten rechnen. Und es gab mehr, als zu ertragen war. Du kennst die Furchen oben auf der Mesa, die die schweren Baumstämme in den Sandstein gepflügt haben.»

Vater hat sie mir gezeigt. Früher. Unsere Männer mußten die Stämme von den Hügeln bei der fernen Schattenquelle oder aus den San-Francisco-Bergen herschleppen, weil die Spanier eine Kirche bauen wollten.

«Sie haben ihre Sklavenkirche gebaut. Aber wir haben uns zusammengetan und sie vertrieben. Doch sie sind wiedergekommen. Nach Oraibi haben wir sie nicht mehr hereingelassen. Aber in Awátowi haben sie Häuser und eine Mauer gebaut. Dort haben damals sehr viele Menschen gewohnt. Und es ist den Spaniern gelungen, einen Teil davon zu ihrem Glauben zu überreden. Das war schlimm. Denn so konnte es Fehler in den Zeremonien geben, so daß der Regen ausblieb und die Menschen verhungern mußten. Und nach der Dürre hat ein furchtbares Feuer alle Ernten im Hopi-Land zerstört außer der von Awátowi. Streit erhob sich zwischen den Führern. Ihr Häuptling wandte sich an uns um Hilfe. Er klagte sein Volk an und verlangte, daß zur Strafe alle getötet werden sollten. Die Ältesten begannen zu beraten, aber die Zeit drängte. Es war kurz vor Wúwuchim, und die Gebete durften nicht durch die Gedanken der Weißen gestört werden. Sofort begannen die Männer von Oraibi, Pfeile und Bogen und schwere Schilde zu machen.

Unser Häuptling schickte seine Neffen nach Walpi, Mishongnovi und Shongopovi. Sie waren alle bereit,

sich anzuschließen. Und dann, in der ersten Nacht des Wúwuchim, als die Männer in den Kivas versammelt waren, begann der Überfall. Leise drangen die Angreifer in Awátowi ein, zogen die Leitern aus den Kivas, und dann schossen sie mit Pfeilen auf die gefangenen Männer, Frauen und Kinder. Als die Sonne aufging, waren die meisten tot. Die Überlebenden wurden zu den Sandhügeln weiter unten geschleppt. Dort begann man sich zu streiten, was mit ihnen geschehen sollte. Schließlich wurden die meisten umgebracht. Nur ein paar Kinder und Frauen, die wichtiges Wissen besaßen, Lieder oder heilige Gegenstände, wurden auf die vier Dörfer verteilt.
Der Hügel, wo man die Toten liegenließ, heißt seitdem der Todeshügel. Doch damit war es noch nicht genug. Am nächsten Tag kehrten die Männer zurück nach Awátowi, zerstörten und zerschlugen alles Gerät, das von seinen Bewohnern benutzt worden war, bis nur noch ein rauchender Trümmerhaufen übrig war.»
Stumm vor Entsetzen höre ich, was mein Vater erzählt. Er will, daß ich es jetzt weiß. Aber ich wünschte, ich wüßte es nicht. Wie konnte das Volk des Friedens sich so weit verlieren? So zügelloser Haß, solche Gewalttätigkeit. Wie kann man von da zum rechten Glauben zurückfinden?
«Ich weiß es nicht», sagt Vater. «Unser Volk muß damit leben. Es hat immer wieder Streit gegeben zwischen Brüdern, zwischen Klanen oder verschiedenen Dörfern. Aber eine so große Schuld hatten wir noch nie auf uns geladen. Vielleicht wäre es nicht dazu gekommen, wenn nicht die Spanier mit ihrem fremden Glauben eingedrungen wären.»

Am andern Morgen wachen wir auf, als das Licht, das der Sonne vorausgeht, über den Horizont strahlt.

Wir essen Piki, trinken Wasser, steigen auf den Wagen und fahren los. Schweigsam reisen wir, denn mir gehen die schrecklichen Dinge durch den Kopf, von denen Vater erzählt hat. Ich glaube, er denkt das gleiche wie ich, wie er mit gesenktem Kopf dasitzt, die Zügel lose in den Händen. Vor uns die beiden knochigen Pferde mit ihrem rauhen Fell. Langsam bringen sie uns in die vertraute Landschaft. Mit Steinen übersäte Schutthügel. Blaugrüne Tuffs von winzigen stachligen Büschen. Kleine Blüten. Zerfaserte Baumstämme, Strünke mit toten Ästen und lebenden Ästen auf der Erde aus rosa und rotem Sand, Felsschutt und Schiefer. Vereinzelt riesige Steine wie hingerollt. Kakteen, die aufragen oder sich auf den Boden legen.
Hopi Tusqua. Unser Land. Auf dieser weiten, trockenen Hochebene zwischen dem Rio Grande und dem Colorado haben unsere Vorfahren gelebt. Hier gibt es nicht eine Mesa, nicht einen aufragenden Restberg, kein Feld, keine Quelle, keinen ausgetrockneten Bach und keinen Gesteinskopf, die nicht ihre Bedeutung haben. Für unsere Religion, für unser Leben. Das ist eins mit dem Land. Nur in einem Bruchteil davon leben wir jetzt, zurückgedrängt von den Navajo und den Weißen. Hier überall haben wir Hirsche gejagt, Gabelböcke, Büffel, Kaninchen und Truthähne. Hier haben wir den Adler gefangen, den Falken und andere Vögel, deren Federn zu unsern Zeremonien gehören. Und wir müssen sie in allen vier Himmelsrichtungen fangen, wenn es Regen geben soll. Hier sind die Wege zu unsern Salzlagern. Hier sind Holz und Steine für unsere Häuser und Kivas. Hier sammeln wir Felsen, Farben, Pflanzen, Hölzer, Wurzeln – unser Leben. Unsere Fußspuren zeichnen die Wege zu den heiligen Orten, zu denen wir jedes Jahr gehen, um unsere Pflicht zu erfüllen.

Und wieder rote Felswände, in denen weiße, grüne und gelbe Streifen liegen. Zu ihren Füßen Schuttkegel, die aussehen wie die Pranken von großen Berglöwen. Vorsprünge, ausgewaschene Bögen. Regenbögen aus Stein. Eine hohe, sanft gewölbte Höhle bis tief in den Fels hinein wie die, in denen unsere Vorfahren ihre Häuser gebaut haben.

«Wie geht es Onkel Sinoyva?» sage ich.

«Er lebt noch in Hotevilla. Sie sind nicht weitergewandert. Eine schwere Zeit hatten sie. Sie wußten nicht, wie sie überleben sollten. Ein Dorf mußte gebaut werden. Erst haben sie Erdhütten gemacht, weil für Steinhäuser die Zeit nicht mehr reichte. Es war eiskalt, und sie hatten kaum zu essen. Was wir ihnen abgeben konnten, war nicht viel. Ich weiß nicht, wie sie es geschafft hätten, wenn nicht Verwandte von den andern Mesas geholfen hätten. Und Soldaten sind gekommen. Yukioma mußte ins Gefängnis. Ich habe deinen Bruder hingeschickt, daß er ihm ein wenig Piki bringt. Geduldig saß er in einem Keller und webte. Weißt du, was er einmal gesagt hat? ‹Viermal werde ich ins Gefängnis müssen›, hat er gesagt. ‹Dann werden sie mich in Ruhe lassen, daß ich in Frieden sterben kann.› Als er in sein Dorf zurückkam, gab es dort nicht nur Not, sondern auch Streit. Es war eine Gruppe in Hotevilla, die sich mit Oraibi versöhnen wollte. Mitten im Winter brachte ihr Anführer sie in ihre alten Häuser zurück. Wir waren noch dort, als sie ankamen. Niemand wollte sie. Sie wurden nicht gleich wieder weggejagt, aber wie Feinde haben die Bären-Klan-Leute sie behandelt. Weißt du, daß Häuptling Tewaquaptewa auch im Gefängnis war? Nur kurz. Dann haben sie ihn nach Riverside geschickt, damit er Englisch lernt.»

«Ich habe ihn gesehen.»

«Er ist gerade erst zurückgekommen. Ich habe gehört, daß er jetzt weniger freundlich über den Bahána denkt. Vier Jahre lang hat sein Bruder das Dorf geführt. Und bevor ein Jahr vergangen war, hat er die Leute von Hotevilla ausgestoßen. Sie sind zur Schilfquelle gegangen, und dort wohnen sie seitdem. In Bakavi. Dein Onkel ist in Hotevilla geblieben. Dort leben sie nach den alten Gesetzen. Sie wollen keine Weißen dort. Aber es hilft nicht viel. Missionare besuchen sie. Die Weißen von der Agentur gehen hin. Nun sollen sie auch eine Schule bekommen.»
«Eine Schule?» sage ich. «Aber das ist es doch, was sie nicht gewollt haben. Deswegen ist der Streit entstanden, weil sie ihre Kinder nicht in die Schule schicken wollten. Darum wurden sie vertrieben. Ist es denn umsonst gewesen?»
«Ich glaube ja», sagt Vater. «Aber wir wissen, daß es so kommen mußte.»

Vor uns erscheint Grün. Büsche und Bäume. Silbergrüne Blätter zittern in der Brise. Der Kleine Colorado. Vater sucht eine Stelle, wo das Wasser nicht zu tief und der Boden nicht zu sandig ist. Wir steigen ab und waten neben den Pferden durchs Wasser.
Dann kommt die ungepflasterte Straße, die zu den rosa Hopi-Kuppen hinweist. Ganz in der Ferne sieht man sie. Bis dahin Wüste. Die heiße Luft flimmert unter der Sonne. Die Kanten von geschiefertem Schutt leuchten. Davon habe ich geträumt in Riverside. Ich denke an die Gärten und Ländereien in Kalifornien, an die üppigen Zitronen- und Orangenhaine, und mein Blick verliert sich in unserer Weite. So viel Land. Und so wenig wächst darauf. Allmählich beginnen sich die Umrisse der dritten Mesa abzuzeichnen mit den versprengten Häusern auf der felsigen Erhebung.

Und je deutlicher der Anblick wird, um so mehr greift er mir ans Herz.
Der Ort, wo meine Nabelschnur hängt. Der Ort meiner Vorfahren. Hier haben sie gelebt, in dieser Abgeschiedenheit, haben das Schlimmste ertragen, haben Sünde auf sich geladen und doch um Weisheit und Frieden und um reine Herzen gekämpft. In diesem kargen Land haben sie gelebt. Ein Land ohne fließendes Wasser haben sie gewählt und ihre zerfallenden Häuser aus Felssteinen, ihre winzigen Gärten im Sand nicht mehr verlassen.
Ehrfurcht durchschaudert mich, wenn ich daran denke. Und zugleich macht mir der Gedanke an die Dürre und das schwere Leben das Herz eng.
«Vater», sage ich, «weißt du, wie grün Kalifornien ist? Es gibt nicht viel Regen, aber sie bewässern ihre Felder. Mit Pumpen holen sie das Wasser tief aus der Erde und sprühen es auf die Äcker. Ich bin durch die Wüste gefahren, aber in jeder kleinen Stadt habe ich Wasser gesehen und Felder, die so frisch und grün sind, daß mir das Herz wehtut, wenn ich an unsere Bauern denke. Du bist in Kansas gewesen, Vater, du weißt, was ich meine. Können wir nicht auch Brunnen graben und Pumpen kaufen, damit unser Leben leichter wird?»
«Man kann es tun», sagt Vater. «Ich habe Pastor Voht geholfen, seine Brunnen zu graben. Aber waren seine Ernten so viel besser als unsere? Wäre es nicht besser gewesen, wenn er sich die Zeit genommen hätte, einen Windschutz zu bauen und jeweils den Sand von seinen Pflanzen wegzukratzen, den der Wind bringt?»
Vater beginnt mit großer Aufmerksamkeit die Zügel zu ordnen, obwohl es an ihnen nicht viel zu ordnen gibt.
«Ja», sagt er dann. «Unser Leben würde leichter

werden. Aber ich glaube, daß wir dabei mehr verlieren könnten, als wir gewinnen. Wenn unser Leben zu mühelos ist, können wir leicht vergessen, was wirklich Wert hat. In Moencopi haben sie eine Pumpe im Dorf. Und ich habe gesehen, wie alte Frauen trotzdem in ihren Wigoros das Wasser aus der Quelle schöpfen.»

Dumm sind sie, denke ich. Alt und halsstarrig. Sie mühen sich ganz umsonst ab.

«Sie tun es, weil sie etwas wissen, was wir nicht vergessen dürfen. Unsere Vorfahren haben Hunger gelitten und doch gewußt, daß es das Richtige war, daß wir hierher geführt worden sind, damit wir von dem wenigen Regen abhängig bleiben, damit wir jeden einzelnen Tag, jede einzelne Stunde daran denken, daß unser Leben von der Kraft unserer Gebete und der Reinheit unserer Herzen abhängt. Wenn wir es nicht tun, kann es geschehen, daß der Regen ganz ausbleibt.

Die Vorfahren haben es erlebt. Und sie haben auch erlebt, daß die Regengötter uns wieder beschenkt haben, wenn wir uns geändert haben. Vielleicht aber ist es zu spät. Ich denke oft darüber nach, warum es hier im Laufe der letzten Jahrhunderte noch trockener und karger geworden ist, als es schon früher war. Vielleicht liegt es an uns.»

Der Niman-Mais schwankt mit seinen grünen Blättern im Abendlicht und verkündet das unauslöschliche Vertrauen der Bauern in die Güte der Natur. Bohnenpflanzen wachsen in kurzen Reihen hinter dem Windschutz von niedrigem Gestrüpp. Von weitem sehe ich schon die Männer an der Arbeit. Kaum sind sie von den Vogelscheuchen zu unterscheiden, die mit ihren Lumpen im Wind flattern.

Ein paar Kilometer sind es noch bis zum Dorf. Kiakotsmovi. Neu-Oraibi nennen sie es. Da sehe ich im

Sand der rosa Dünen eine junge Baumwollpappel. Sie breitet grüne Blättchen aus und scheint mich anzulächeln.
Erstaunt schaue ich meinen Vater an.
Er scheint darauf gewartet zu haben. Er lächelt.
«Du hast recht», sagt er liebevoll. «Sie war früher nicht da. Ich habe sie gepflanzt. Ist es nicht gut zu sehen, wie sie ihre Wurzeln in die Tiefe streckt und ihre Äste zu den Regenleuten ausbreitet? Es ist einer von den vielen Bäumen, die ich gepflanzt habe, seit wir hierher gezogen sind. Ich sehe so gern, wie Bäume wachsen. Ich liebe ihren Schatten. Er tut gut.»

«Polingaysi, meine liebe Tochter. Es ist gut, daß du wieder nach Hause gekommen bist.»
Schon von weitem hat Mutter den kleinen Wagen gesehen, ist herausgekommen und uns entgegengegangen. Ich habe sie am Schritt erkannt. Auf ihrem Arm meine Schwester Lydia. Sie vergräbt das Gesicht an Mutters Schulter und wirft ab und zu einen schüchternen schwarzen Blick voller Neugier zu mir herüber.
«Das ist Polingaysi», sagt Mutter. «Deine Schwester. Sie ist zu uns zurückgekommen.»
Mutter. Mit ihrem ernsten, freundlichen Gesicht. Mit ihrem starken Körper, ihrem handgewobenen dunkelblauen Deckenkleid, das auf der rechten Schulter befestigt wird und die linke freiläßt. Sie trägt ihr Haar immer noch so wie früher, in dicken gedrehten Rollen, die ihr vorne über die Schulter hängen.
Jetzt steht sie vor ihrem kleinen Haus auf dem vom Wind durchfegten Hof, wo ihre Hühner nach ein paar Körnern picken.
«Komm herein», sagt sie. «Ich will dir unser Haus zeigen.»
Sie hat den Boden und die Wände frisch getüncht. Für mich. Die Wände sind mit prächtigen neuen Flechttellern geschmückt. Auf den Regalen steht neues Geschirr. Und in der Ecke nicht die übliche Feuerstelle, sondern ein eiserner Herd. Und darauf ein Tontopf mit Maisbrei.
«Schön habt ihr es.»
Die Luft der Kindheit scheint in diesen Räumen zu wohnen, obwohl sie neu sind. Der Geruch von Maisbrei und Kräutern, Pelzen und Wolle. Nicht wie Schlafsäle und weißgescheuerte Tische. Nicht wie die

Desinfektionsmittel, mit denen wir die Fußböden reinigen mußten.
«Wo werde ich schlafen?»
Mutter nickt zu dem Platz, wo die Decken aufgerollt liegen. Sie ist glücklich. Ich erschrecke.
«Ihr habt ein neues Haus», sage ich. «Warum habt ihr keine Betten, auf denen man richtig schlafen kann? Und keinen Tisch?»
«Betten? Wir sind Hopi. Wir brauchen keine Betten. Du hast das auch nie gebraucht.»
«Als ich ein kleines Mädchen war, hat es mir nichts ausgemacht, auf dem Boden zu schlafen und mit allen in die gleiche Schüssel einzutauchen. Aber jetzt ist es anders. Ich bin ein anderes Leben gewöhnt.»
Mutter seufzt.
«Meinst du, daß du es jetzt besser weißt als wir? Was soll ich mit einer Tochter anfangen, die meine Mutter geworden ist?»
Aber Vater sagt: «Du brauchst wirklich ein Bett?»
«Ja.»
«Ich werde dir helfen.» Vater kennt jemanden, der gerade ein Haus baut und genug Bretter hat. Dort will er das Material für ein einfaches Bett holen. «Morgen werde ich es für dich machen», sagt er, bevor er fortgeht. Er weiß, daß es keinen andern Weg gibt, wenn man eine anspruchsvolle, starrköpfige Tochter hat.

«Polingaysi», sagt Mutter, bevor die Sonne hinter den Kliffs verschwunden ist.
«Ja.»
Mutter zögert, als wüßte sie nicht, ob der richtige Augenblick schon gekommen ist. Dann weist sie mit dem Kopf zu einem kleinen Speicher hinüber, den Vater neben dem Haus gebaut hat. «Komm», sagt sie.

Im Speicher liegt, was von der letzten Ernte noch übrig ist. Aber auch die Gemüse des Sommers. Dann faltet Mutter ein feines weißes Tuch auseinander, um mir zu zeigen, was darin eingewickelt ist, und es sieht aus, als zitterten ihre starken Hände.
Erwartungsvoll schaut sie mich an.
Es ist ein Stapel von Flechttellern, mit wunderschönen Mustern in vielen Farben. Keiner gleicht dem andern.
«Die habe ich für deine Hochzeit gemacht», sagt Mutter leise. «Du bist jetzt alt genug, Polingaysi. Du mußt daran denken, einen Mann zu nehmen.»
Ich zucke zusammen.
Nein, denke ich. Ich will nicht heiraten. Ich will lernen. Ich will Geld verdienen. Ich will sparen. Und eines Tages will ich ein eigenes Haus bauen. Aber heiraten? Jetzt?
Ich stelle mir vor, wie ich im Mahlraum das grobe blaue Maismehl zu feinem Mehl für die Hochzeit-Pikis zerreibe, Stunde für Stunde, Tag für Tag. Und mir wird elend bei diesem Gedanken. Ich sehe mich als Hopi-Braut, zartes weißes Wildleder um die Füße gewickelt, den großen weißen Umhang um die Schultern gelegt und um die Taille die prächtige Fruchtbarkeitsschärpe mit ihren Fransen. Und sie waschen mir und dem Mann, den ich ausgesucht habe, die Haare in weißer Yuccalauge, und sie binden sie zusammen, und ich sollte mich freuen, weil das der Tag ist, der mich zu dem macht, was ich immer sein sollte: eine richtige Hopi-Frau. Und ich freue mich nicht.
Wenn das meine Bestimmung ist, denke ich, dann bin ich noch nicht bereit.
Ich bin noch nicht bereit, einen Mann zu lieben. Nicht mit all dem Ernst, der dazugehört, wenn man ein ganzes Leben zusammen verbringen will. Einer von den größeren Jungen in Riverside kommt mir in den

Sinn, für den ich geschwärmt habe, von weitem. Aber das war nicht ernst. Lieben? Nein. Und wenn ich heiraten würde, müßte ich ihn ja nicht nur lieben. Mühselige, langwierige, zermürbende Arbeit müßte ich für ihn leisten. Auf meinen Knien Mais mahlen. Mein ganzes Leben. Nein, das will ich für keinen Mann tun. Und wenn ich ihn noch so sehr liebe.

Und ich bin nicht bereit, eine lebendige Samenhülse für mein Volk zu werden. Ich liebe Kinder. Aber Mutter will ich noch nicht werden.

Hier stehe ich, vor diesen schönen Tellern, und weiß, wie viele Stunden meine Mutter daran gearbeitet hat. Es zerreißt mir das Herz, wenn ich mir ihre Gedanken vorstelle. Ich weiß, wie Mutter in die Wüste gegangen ist, um Sewi-Halme für die Rippen der Teller zu sammeln. Als ich klein war, habe ich ihr geholfen. Wüstenastern haben wir gesammelt. Man muß sie schälen, jeden Stengel für sich, mit den Fingernägeln. Sie werden gefärbt, und dann erst beginnt das Flechten. Wieviel Mühe, wieviel Geschicklichkeit und wieviel Liebe stecken in diesen Tellern.

Es schnürt mir die Kehle zu. Langsam schüttle ich den Kopf, und Tränen steigen mir in die Augen. Mutter, denke ich, ich will deine Gefühle nicht verletzen. Ich weiß nicht, was ich tun soll. Ich kann dein Geschenk nicht annehmen.

«Sie sind nicht für mich, Mutter. Verkauf sie. Kauf etwas zu essen dafür. Geschirr. Kleider. Kauf etwas für dich. Es gibt so vieles, was du brauchst.»

«Du bist eine Frau», sagt Mutter mit unsicherer Stimme. «Du solltest einen Mann und Kinder haben. Du solltest ein eigenes Zuhause haben.»

«Ja», sage ich. «Ein eigenes Zuhause will ich haben. Eines Tages werde ich ein Haus für mich bauen. Ich habe dafür gespart, und ich werde noch mehr arbeiten.»

Ich weiß, daß ich etwas anderes sagen sollte. Scham und Entschlossenheit treiben mir das Blut in den Kopf. Trotzig beiße ich die Zähne zusammen. Ich fürchte mich vor dem, was Mutter sagen wird.
Sie sagt aber nichts. Ihr Blick ist traurig. Fest schaut sie mir ins Gesicht. Sie scheint es zu erforschen. Was mag sie sehen? Trotz? Widerstand gegen alles, was Hopi ist? Gegen alles, was gut ist? Als sie genug gesehen hat, wendet sie sich ab. Still weinend beugt sie sich über das weiße Tuch, nimmt es in beide Hände und zieht es langsam über ihre toten Hoffnungen.
Ich habe gewußt, daß es so kommen mußte. Aber ich habe gehofft, daß es langsam geschehen würde. Nicht gleich am ersten Tag. Reue schüttelt mich, wie ich mich zwischen die Felle lege, in denen ich die Nächte meiner Kindheit verbracht habe. Jetzt kommen sie mir hart vor. Ich wünschte, ich müßte meine Mutter, die ich so liebe, nicht enttäuschen. Und doch bereue ich nicht, daß ich diesen Weg gegangen bin. Meinen Weg.

Die nächste Nacht werde ich in einem Bett schlafen. Ich schaue zu, wie er es macht. Rechnen hat er nicht gelernt. Nur einfaches Zählen nach Zwanzigern, wie es bei uns auf der dritten Mesa üblich ist. Er benutzt auch kein Metermaß. Er nimmt seine kleinen Hände als Meßinstrumente, und das Ergebnis könnte kaum genauer sein. Vater nagelt die Bretter zu einem einfachen Bettgestell zusammen, und auf diesen Rahmen legt er als Matratze einen Drillichsack, der mit Maishülsen gefüllt ist. Ich habe ein Bett.
«Danke, Vater.»
Und ich hoffe, daß er uns auch einen Tisch macht.
Tag für Tag kocht Mutter die Speisen, die sie immer gekocht hat. Sie bäckt Piki, kocht Hammeleintopf. Sie macht Klöße aus Brot und gehacktem Fleisch, das sie

mit Maishülsen zu kleinen Kugeln aufrollt. Sie kocht Bohnen, röstet Mais und macht Nuquivi, ihren groben Maisbrei. Es gibt Pfirsiche, getrocknete Pflaumen. Sie kocht, was mich glücklich gemacht hat, als ich ein Kind war. Sie will, daß ich wieder eintauche in diese Welt. Und was will ich? Ein brodelndes Durcheinander von Erinnerungen überfällt mich. Ich bin verwirrt, wenn ich bete, wie die andern beten.

Wenn ich esse, überfallen mich Gespenster. Gespenster des Glücks und Gespenster des bittern Elends. Und wenn ich den letzten Bissen der Maismehlklöße kaue, knirscht zwischen meinen Zähnen der Sand, der uns daran erinnert, daß wir Mutter Erde dankbar sein sollen.

Nein, denke ich. Ich will es nicht. Wozu habe ich in Kalifornien kochen gelernt? Schweren Herzens sage ich zu meiner Mutter: «Du kochst, was du kochst. Und ich werde kochen, was ich koche.» Ich kann nicht anders.

Mutter zuckt mit den Schultern. Sie weiß, daß sie mich nicht ändern kann. Von nun an werde ich selber einkaufen beim Händler. Und ich werde all die Speisen zubereiten, die ich im Hause der Lehrerin gegessen habe. Sie schmecken mir. Ist es meine Schuld, wenn meine Eltern sie nicht mögen?

Ich backe Kuchen. Mißtrauisch schaut Mutter aus der Ferne zu.

«Was tust du denn?» sagt sie plötzlich. «Drei Eier? Du opferst drei kostbare Eier, nur um einen einzigen Kuchen zu backen? Weißt du nicht, was drei Eier bedeuten? Wenn man sie in einen Topf mit Maisbrei rührt, können sie eine ganze Familie satt machen!»

«Ich habe sie selber gekauft», sage ich. «Von meinem Geld. Der Kuchen wird dir bestimmt schmecken.»

Aber Mutter mag keinen Kuchen.

«Du bist törricht wie eine weiße Frau», schilt sie. «Wie kannst du nur Lebensmittel so verschwenden!»
Ich mache es, wie ich es gelernt habe, sage ich mir. In Kalifornien haben sie genug zu essen. Dort machen sie es so. Vielleicht hat Mutter recht. Aber es macht mich wütend, daß sie recht hat. Es wird niemand verhungern, wenn ich drei Eier gebrauche.

In Oraibi werden die Feste gefeiert wie früher. Aber es ist schwierig geworden.
Niman-Kachina. Wir stehen in der Sonne, schauen zu, wie sie tanzen, hören zu, wie sie singen, und schon beim ersten Ton ist wieder die Musik in mir, wie es immer war.
Und doch, der Glanz, den das Fest früher ausgestrahlt hat, ist fort. Und nicht nur, weil so viele Menschen nach Hotevilla gezogen sind. Es liegt an mir. Heidnische Bräuche, sagt mein Kopf, wie er es in der Schule gelernt hat.
Und Mutter hat Pikami gemacht, den süßen Maisbrei, wie er bei den Festen angeboten wird. Teufelsspeisen, sagt mein Kopf.
«Nein, danke», sage ich.
Mutter sieht mich entgeistert an.
Am Abend versammeln sich die Frauen der Familie in unserm neuen Haus zum Essen. Die Männer sind nicht da. Sie haben mit den Zeremonien zu tun.
Ich bringe es nicht fertig, mit ihnen zu essen. Ich bin zu verwirrt. Ich wasche mir die Haare. Es hilft nicht. Ich gehe in die sinkende Nacht hinaus, über die Felder, und laufe zwischen den harten, dornigen Tuffs von Wüstenpflanzen bis zu den Kieseln des trockenen Oraibi Wash. Ich weiß meinen Weg nicht.
Ich will mehr über die christliche Religion lernen,

denke ich. Ich weiß zu wenig. Und wenn ich genug weiß, will ich Christin werden.

In dieser Nacht, als wir uns zum Schlafen hinlegen, fragt Mutter mich:

«Polingaysi, sag mir, wo ist dein Herz?»

«Bei all den Dingen, die ich noch lernen will.»

«Hast du nicht schon zuviel gelernt?»

«Nein. Nicht zuviel. Zuwenig.»

Dann versuche ich, ihr zu erklären, was ich über den Glauben an Jesus weiß. «Es ist eine Religion der Liebe und des Friedens», sage ich. «Sie beten für das Gute.»

Mutter versteht mich nicht. «Wenn das wahr ist», sagt sie, «dann brauchst du nicht Christin zu werden. Das kannst du bei deinem eigenen Volk finden. In den großen Zeremonien und bei jeder kleinen Tätigkeit. Überall.»

«Versteh mich doch», sage ich.

«Ich verstehe nicht, was die Weißen denken. Ich verstehe nur, was sie tun. Und da gibt es nicht viel, was ich billigen kann. Und ich verstehe, daß du dich gegen alles wendest, was Hopi ist.»

Dann schweigt Mutter.

Traurig rolle ich mich in meine Decke.

Mutter kniet vor der Mata und zerkleinert Mais. Eigentlich sollte ich das auch tun. Sie sagt nichts, aber ich weiß, daß ich es sollte. Ich will es nicht. Man könnte ebensogut eine Maschine kaufen, dann hätte die mühselige Arbeit ein Ende. Und es stört mich, Mutter Tag für Tag auf ihren Knien zu sehen. Sie sollte sich lieber einmal ausruhen.

«Warum kaufst du nicht eine Maschine?» sage ich.

Mutter blickt mich verblüfft an. «Aber ich bin stark», sagt sie. «Ich habe Mais gemahlen, seit ich ein kleines Kind war.»

«Mutter, ich möchte, daß du eine Maschine hast. Ich werde sie kaufen. Ich kann es nicht mit ansehn, wenn du so viel arbeitest.»
Mutter sieht zum Fenster hinaus und atmet schwer. Mit unterdrückter Erregung sagt sie:
«Polingaysi, unsere Maismutter hat dich ernährt, wie sie alle Hopi ernährt hat, seit jenen fernen Zeiten, als sie nur so groß war wie mein Daumen. Sie verheißt uns Nahrung und Leben. Darum mahle ich mit Dankbarkeit für den Reichtum unserer Ernte, und wenn ich mahle, habe ich keine unfreundlichen Gedanken. Ich denke nicht daran, daß ich zu hart arbeiten muß. Es ist nicht Arbeit, es ist Beten. Wenn ich am Mahlstein knie und den Kopf beuge, dann beuge ich ihn im Gebet, denn ich danke den großen Mächten für ihre Fürsorge. Ich habe viel empfangen. Und dafür bin ich bereit, viel zu geben, denn wie ich dich gelehrt habe, man muß immer etwas zurückgeben für das, was man empfängt.» Sie schweigt. Dann sagt sie: «Es ist traurig, daß die Lebensweise der Weißen dich dazu gebracht hat, unsern Weg zu vergessen.»
Mutters Stimme klingt sanft und tadelnd.
Nein, ich habe es nicht vergessen. Ich schäme mich, daß ich es war, Polingaysi, die Mutter zu diesem Gefühlsausbruch veranlaßt hat. Ich weiß, wie wichtig Mais für einen Hopi ist.
Ich höre noch Großmutters Stimme, wie sie von meiner Geburt gesprochen hat. «Ich habe dir deine erste Maismutter geschenkt.» Einen vollkommenen Kolben von weißem Mais braucht man, einen mit gerade gewachsenen Körnerreihen, die bis über die Spitze hinaufwachsen und in vier vollkommenen Körnern enden. Er enthält den ganzen Sinn unseres Lebens und Denkens. Die Maismutter wird mit dem Neugeborenen zusammen im gleichen Wasser gebadet und zwan-

zig Tage lang mit ihm zusammen gewiegt. Sie ist bei der Taufe am Rand der Mesa dabei, wenn das neue Wesen sein geistiges ‹Ich bin, ich bin› empfängt mit einem Segen von goldenen Pollen von heiligem Mais.
Die Missionare nennen es Heidentum. Sie wollen, daß wir die abergläubischen Bräuche aufgeben. In der Schule habe ich versucht, ihnen zu gehorchen. Aber hier? Wo das Leben mit Ehrfurcht und Liebe gelebt wird, wo alles von den kleinsten Dingen des Alltags bis hin zu den geheimsten der Zeremonien Tiefe und Bedeutung hat? Verblaßt daneben nicht alles andere? Haben die Christen ein Recht, unsern Glauben zu verachten und ihn für eine Sünde zu halten? Und doch, könnte ich noch zu dieser Lebensweise zurückkehren?
Kann ich verzichten auf alles, was ich gelernt habe, auf alles, was ich mir gewünscht habe? Vielleicht kann ich es. Aber ich will es nicht. Mir gefällt es, wie die Weißen leben. Ich will nicht umsonst gekämpft haben, nicht umsonst die Qual und die Einsamkeit ertragen haben.
«Ich habe es nicht vergessen, Mutter», sage ich schließlich. «Unser Leben. Aber ich bin schon zu weit gegangen. Ich habe meine Richtung festgelegt. Weißt du noch, wie du an meinem ersten Schultag gesagt hast: Es gibt keinen Weg zurück? In meinem Herzen habe ich die Verehrung für den Mais und werde sie immer haben. Ich achte ihn als die Nahrung meiner Vorfahren. Aber verkaufe die Teller trotzdem. Ich werde anders leben. Ich werde sie nicht brauchen. Ich weiß, daß du sie aus Liebe zu mir gemacht hast, und ich danke dir, Mutter. Asquali.»
Das alte Wort berührt das Herz meiner Mutter.
«Ja, du bist noch eine Hopi», murmelt sie. «Du wirst unser Leben nicht vergessen.»

Mutter hat mich verstanden.
Von jetzt an wird sie nicht mehr versuchen, mich zu ändern.

Aber wie gern würde ich sie ändern. Ich möchte das bessere Leben nicht nur für mich, sondern auch für sie.
«Vater», sage ich, und ich sage es jeden Tag, «Vater, es ist nicht gut, daß wir auf dem Boden sitzen. Wir brauchen einen Tisch. Wir brauchen Stühle und Bänke zum Sitzen.»
Es dauert nicht lange, bis er mit seinem Esel heimkommt, und auf dem Esel sind Bretter festgebunden, gute, gehobelte Bretter.
«Danke, Vater», sage ich, während er Säge und Hammer aus dem Kasten nimmt. Und ich schaue zu, wie er mit seinen geschickten Händen einen Tisch und zwei Bänke zimmert.
«Wie gut du das kannst.»
«Polingaysi», sagt mein Vater lächelnd, «es ist nicht der erste Tisch, den ich mache.»
Nun können wir am Tisch sitzen und essen. Ich bin glücklich. Aber wenn Besuch kommt, beginnt Mutter sich zu entschuldigen. Die Besucher werfen kritische Blicke auf den Tisch. Dann auf mich. Ich weiß, daß sie über mich lachen, wenn ich es nicht sehe.
Und Großmutter? Sie lacht nicht über mich. Wenn sie zum Essen zu uns kommt, klettert sie auf den Tisch, vollkommen verwirrt. Jedesmal erkläre ich ihr geduldig, wie man einen Tisch gebraucht und wie man sich auf eine Bank setzt. Und beim nächsten Mal steigt ihre kleine, gebeugte Gestalt wieder mühselig über die Bank auf den Tisch hinauf, um zu sitzen, wie sie ihr Leben lang gesessen hat.
Von meinem eigenen Geld kaufe ich neues Geschirr im Trading Post, Kochtöpfe, Pfannen, Kuchenformen.

Liebevoll schaue ich sie an auf ihrem Brett, wo sie neben Mutters tönernen Töpfen und Schüsseln stehen. Mutter benutzt lieber ihr altes Geschirr, aber wenn ihre Freundinnen kommen, zeigt sie ihnen die neuen Geräte. Sie ist stolz auf meine Großzügigkeit.

«Ich brauche sie ja nicht», sagt sie mit einem verlegenen Lächeln in ihrem Gesicht. «Aber unsere Tochter versucht eben, Weiße aus uns zu machen.»

Manchmal wünsche ich, es würde mir gelingen, obwohl ich weiß, daß es nicht recht ist. Mutter ist mir nicht mehr böse. Ich glaube, sie weiß, wie schwer es für mich ist, meinen eigenen Weg zu finden. Und es ist schwer. Wie kann ich zufrieden unter lauter Menschen leben, die verachten, was ich tue? Die mich nicht anerkennen? Die mir mit Mißtrauen und Spott begegnen? Zwieherz, sagen sie. Ka-Hopi. Oft muß ich, wenn ich einen besonders schönen Kuchen gebacken habe, ihn allein essen. Nur mein kleiner Bruder freut sich und ißt große Stücke, wenn er aus der Schule kommt. Wenn doch mein anderer Bruder auch da wäre, denke ich. Er würde sich freuen. Aber vor einem Jahr hat er seine Sachen gepackt, ist zu den andern Kindern in den Wagen gestiegen und abgereist. Jetzt lernt er in Riverside.

Was soll ich tun? Ich kann nähen. Am liebsten würde ich eine Nähmaschine kaufen. Aber ich weiß nicht, ob meine Kleider irgend jemandem gefallen würden.

Eines Tages schäle ich Äpfel für einen Apfelkuchen. Einen nahrhaften Boden habe ich geknetet und schnitzle die Äpfel, die darauf verteilt werden. Und wie ich die Schalen und Gehäuse in einen Eimer werfe, um damit die Hühner zu füttern, kommt eine Nachbarin herein.

«Was macht deine Tochter denn da?» flüstert sie.

«Sie macht den Kuchen des weißen Mannes.» Mutter flüstert auch.
«Aber warum tut sie die guten Schalen in den Eimer?»
«Sie wirft sie weg.» Mutters Stimme ist wie ein Seufzer, so traurig. Und ich kann sie nicht trösten, wenn ich nicht alles aufgeben will, was ich gelernt habe.
«Wirft sie weg!» Für einen langen peinvollen Augenblick wird die Nachbarin stumm. Dann sagt sie: «Warum?»
«Sie ist eine Weiße», sagt Mutter. «Es ist so ihre Art, Nahrung zu verschwenden.»
«Is-u-di!» ruft da die Nachbarin. «Was für eine Schande! Die guten, süßen Schalen. Die fetten schwarzen Kerne im Gehäuse. Kannst du denn nichts tun, um sie von dieser Verschwendung abzubringen?»
«Nein», sagt Mutter. «Nichts.»

So kann es nicht weitergehen. Daß sie mich kritisieren, ist nicht das Schlimmste. Viel schlimmer ist, daß sie mich auslachen. Noch beim Einschlafen sehe ich die Frauen, wie sie hinter ihren Kleiderzipfeln über mich lachen. Und ich kann nichts dagegen tun. Denn wenn ich jetzt all meine Vorstellungen aufgeben und mich wieder ganz in das Dorfleben einfügen würde wie die andern Schulmädchen, dann würden sie noch mehr lachen. Dazu ist es zu spät.
Polingaysi will eine Weiße sein. Ich höre ihre Stimmen im Traum. Sie haben recht. Und doch schnüren ihre Worte mir die Kehle zu. Ich kann ihnen nichts antworten. Und dann träume ich, daß ich eine uralte Frau bin und in mein Dorf zurückkehre. Meine Beine sind schwer. Der Staub flüstert in den Straßen, wo ich vor langer Zeit gespielt habe. Ein Teil von mir ist in diesem Staub. Und ich frage mich: ist das der Ort, wo ich hingehöre? Jetzt? Mein Haar ist weiß, und aus den

Sanddünen erhebt sich träge ein staubiger Wirbelwind, dreht sich zu mir herauf und wirbelt um mich herum. Ich halte ihm meine Hände entgegen. «Sag's mir, sag's mir», flüstere ich. Und der Wind löst sich auf. Er sagt nichts. Meine Haare sind immer noch kurz und offen, als wäre ich ein Kind geblieben. Plötzlich huscht noch einmal eine Franse des Wirbelwinds mir um den Kopf und hebt meine weißen Ponyhaare. Der Rock flattert mir um die Beine. «Wenn du ein Geist von meinen Vorfahren bist», flüstere ich, «dann sag mir, wohin ich gehöre.» Der Wind hat keine Antwort für mich. Bald werde ich sterben. Ich bin immer noch ein verlorenes Kind, das seinen Weg nicht findet.
Erschöpft von Trauer wache ich auf.

Meine Schulkameradinnen, die früher zurückgekommen sind, haben geheiratet. Gelassen und glücklich leben sie in ihren Häusern. Sie mahlen den Mais auf die alte Weise. Sie flechten ihre Teller, sie formen Yucca-Siebe und Körbe. Ihre Familien wachsen. Meine Schwester hat jetzt zwei Kinder. Eines zottelt neben ihr her, das andere wiegt sie auf ihrem Arm. Sie ist glücklich. Sie lächelt. Sie singt. Wie gern würde ich auch singen.

Von weitem sehe ich unser altes Haus liegen. Das Haus, in dem ich ein Kind gewesen bin. Sein Dach ist eingefallen. Ich will nicht hingehen. Ich will es nicht von nahem sehen. Nicht sehen, wie die Mauern bröckeln, weil keiner sie pflegt, nicht sehen, wie fremde Hunde aus- und eingehen. Mein Vater will es auch nicht sehen. Er ist mit mir auf die Mesa hinaufgestiegen. Und Mutter? denke ich. Wie schwer mag ihr der Abschied geworden sein?

Es ist still geworden im alten Oraibi, als wäre der Lebensstrom versiegt.
«Ja», sagt Vater. «Oraibi hat sein Herz verloren. Und die Alten, die in die Zeit schauen können, die noch kommen wird, sagen, es wird eine Zeit geben, in der in Oraibi kein Leben mehr sein wird.»
Wir gehen zum Dorf hinaus, kommen zu der flachen Felsenplatte, wo vor vier Jahren der Kampf stattgefunden hat.
«Nun also muß es vollbracht werden. Wenn du mich über diese *Linie* stößt, wird es *geschehen.* 8. September 1906.»
So steht es in den Felsen geritzt. Wortlos schauen wir die Inschrift an. Darunter ist ein Bild von Massau-u, dem Gott des Feuer-Klans, und die Spur eines Bären.
Vater schweigt. Wir blicken nach Süden, wo sich in weiter Ferne die Tafelberge erheben. Man sieht sie kaum.
«Es wurde nicht sofort deutlich», sagt er dann, «daß Oraibi auseinandergerissen worden war. Sie haben ihre Tänze abgehalten wie immer. Aber es sind nicht mehr genug Leute da von den verschiedenen Klanen, wie man sie für die Zeremonien braucht. Manche Klane fehlen ganz. Ihr Wissen fehlt.»
Bevor wir wieder hinabsteigen nach Neu-Oraibi, setzen wir uns an den Rand der Mesa, wo wir früher gebetet haben. Zur zweiten Mesa schauen wir hinüber, geblendet vom rosenfarbenen Licht des Kliffs, das noch im Licht der untergehenden Sonne liegt.
«Vater, was soll ich tun?»
Er nickt. «Du mußt deinen eigenen Weg finden.»
«Es ist so schwer.»
«Ja, es ist schwer.»

Hier kann ich nicht bleiben. Ich tue nichts. Ich lerne nichts. Ich mache meine Eltern unglücklich und mich selber auch.
Mein Vater aber geht nach Moencopi, wo jetzt Pastor Frey mit seiner Familie die Missionsarbeit macht. Und wie er zurückkommt, sagt er: «Polingaysi, die Freys machen dir einen Vorschlag. Du kannst bei ihnen leben, bei der Hausarbeit helfen, und unter der Anleitung von Pastor Frey Religion, Medizin und vieles andere studieren. Möchtest du das?»
«Danke, Vater.»
Er hat die richtige Lösung gefunden. Er hat nicht nur kluge Hände, sondern auch einen klugen Kopf. Und er weiß, was ich brauche.
«Wann kann ich gehen?»
«Zu Wúwuchim», sagt er.
«Bis dahin ist es noch lange.»
«Nicht lange», lächelt er. Es ist ein trauriges Lächeln. «Aber du kannst sie schon bald kennenlernen. Pastor Frey will eine Reise nach Kansas machen, und du darfst ihn begleiten.»
«Nach Kansas?» Es ist wie im Traum.

In Moencopi begrüßen mich die Freys noch herzlicher, als ich erwartet habe. Sie haben eben eine Sendung mit Schuhen und Kleidern bekommen, daraus darf ich mir meine Reiseausstattung zusammensuchen. Die Schuhe passen nicht gut, und die Kleider sind vielleicht nicht das Richtige für ein junges Mädchen, aber mir gefallen sie. Einen Tag später sitzen wir im Zug.
Der Zug fährt nach Osten, am Kleinen Colorado

entlang durch das vertraute Wüstenland, taucht ein in die Schluchten und Felsentürme des Querino Canyon und weiter durch flache Landschaften ohne lebende Pflanzen, nur zahllose mächtige, zu Stein gewordene Baumstämme liegen auf den sanft ansteigenden Hügeln und versteinerte Riesenfarne, die in einer fernen Vergangenheit in diesem Land gelebt haben. Neu-Mexiko. Erkaltete Lavaströme und Restberge begleiten uns, bis wir zu den Bergen kommen. Mit seinen grünen Ufern erscheint der Rio Grande. In Albuquerque, umgeben von Schafen und Weinbergen, hält der Zug. Die Reisenden drängen hinaus, um zu essen oder um sich die neuen Häuser anzusehen, Wirtshäuser, Spielsalons, Hotels, die sich um den Bahnhof drängen. Neue Reisende steigen in den Wagen, Bergleute, Jäger, Farmer, Cowboys mit braunen Schlapphüten und schweren Gürteln um den Leib, in denen ihre verzierten Revolver und Messer stecken. Lederne Hosen und hohe Stiefel. Die Männer ziehen ihre Jacken aus und lassen sich in Hemdsärmeln auf die Bänke fallen. Die Hüte behalten sie auf dem Kopf.
Dann geht es weiter, nach Norden, durch Berge, waldiges Land, im Westen die Schneegipfel, und weiter, bergauf steigt der Zug durch immer einsamere Gegenden, in denen nichts wächst und niemand wohnt, bis wir den Paß erreichen. Durch einen mit Balken ausgezimmerten Tunnel fahren wir, und wie wir herauskommen, sind wir in Colorado.
Wir schlängeln uns in zahllosen Windungen hinunter durch die Felsen, dann liegt Trinidad vor uns. Und immer weiter, am Arkansas River nach Osten. Dreimal am Tag gibt es einen Aufenthalt, damit wir essen können, in kleinen Restaurants oder ausrangierten Eisenbahnwagen, in denen auf den Bahnhöfen Mahlzeiten serviert werden. Oder wir gehen ein wenig

herum, bewegen die steif gewordenen Beine. Dann fahren wir wieder durch strahlendes windstilles Herbstwetter, durch Prärien mit kurzem Gras, kahlen Sanddünen, vorbei an ärmlichen mexikanischen Siedlungen. Wenn es Nacht wird, rollen wir unsere Decken auseinander und kriechen in die Kojen über unsern Sitzen und versuchen zu schlafen.
Wir sind in Kansas, durchfahren seine Prärien im Westen, die kleinen Ansiedlungen von neuen Holzhäusern, wo die Bauern aus Kanälen das Wasser für ihre Felder holen. Wir kommen nach Dodge City mit seinen Karawanen von Frachtwagen, mit Fuhrmännern, deren Lederpeitschen zwischen Musikhallen, Spielhöllen und Schankstuben knallend die Pferde antreiben. Und dann weiter, über lange eiserne Brücken und langsam abwärts durch die baumlosen Ebenen an den flachen Ufern des Arkansas. Nach Ellinwood und Hutchinson. Die meisten Leute, die hier wohnen, sprechen Deutsch, sagt Pastor Frey. Die Bahn biegt vom Fluß ab, und über die sanften Wellen der Landschaft ziehen sich Äcker und Weiden, so weit das Auge reicht. Die goldenen Felder sind so weit wie die Wüste, so endlos wie der Pazifische Ozean, der sich in der nebligen Ferne verliert. Sie gehen die Hügel hinauf und wieder hinunter und nehmen kein Ende. Es ist Erntezeit. Der Mais steht in mächtigen Garben, goldene Kürbisse zu seinen Füßen. Zwiebeln und Kartoffeln werden in Säcke gefüllt. So viel zu essen. Nicht nur in Kalifornien. Auch hier. Überall. Nur nicht bei uns zu Hause, bei den Hopi. Wie ungerecht das ist, daß diese Leute so viel haben und unsere Bauern so wenig.

In Newton steigen wir aus. Der Bruder von Pastor Frey bringt uns zu seinem Haus. Schon von weitem, während uns sein kleiner Pferdewagen durch die Felder und Baumgärten fährt, sehen wir es liegen, ein sehr weiß gestrichenes Haus, umgeben von einem kleinen Gemüsegarten. Die Einfahrt ist mit einem Zaun und ein paar Bäumen abgegrenzt, und wir fahren hinein in den Hof, steigen aus zwischen dem Wohnhaus und den ausgedehnten Scheunen und Stallgebäuden. Hier werden wir wohnen. Schöne, einfach eingerichtete Zimmer mit einem Ofen, der zwei Zimmer gleichzeitig wärmen kann. Wie anders ist diese Welt.

Wir sitzen zum Essen an einem großen Tisch. Und wenn ich einmal etwas sage, hören sie genau zu. Sie stellen Fragen nach unserm Leben auf der Mesa. Und ich antworte ihnen, so gut ich kann. Oft entschuldige ich mich für die Unwissenheit der Hopi. Aber noch öfter verteidige ich sie.

Mit Pastor Frey besuche ich die Kirchen, wo er Vorträge halten muß. Wir gehen in die Akademie. Hier ist mein Vater vor vielen Jahren gewesen. Und plötzlich weiß ich: eines Tages möchte ich hier studieren. Ich werde in der Küche helfen. Ich werde arbeiten, um das Schulgeld zu verdienen.

Pastor Frey zeigt mir die Druckerei, um derentwillen er hergekommen ist. Er hat Geschichten aus der Bibel in die Hopi-Sprache übersetzt; hier werden sie gedruckt. Jeden Tag gehe ich in die Druckerei, um Typographie zu lernen. Ich achte nicht auf die Bemerkungen, die die jungen Männer in der Werkstatt machen. Ich beachte es auch nicht, wenn jemand sich über meine Hautfarbe lustig macht. Ich lerne.

Anders ist es in den Kirchen der Mennoniten. Sie wollen, daß ich ihnen Hymnen vorsinge. Und ich singe.

Und dann, eines Tages, nimmt Pastor Frey mich in ein kleines Restaurant mit zum Essen.

Die Kellnerin kommt und fragt ihn nach seinen Wünschen. Mich fragt sie nicht. Er sagt ihr, was er essen will und was ich essen will. Nach einer Weile kommt ein Teller für ihn und keiner für mich.
«Seien Sie bitte so gut», sagt Pastor Frey leise, aber bestimmt, «und bringen Sie zwei Teller.»
Die Kellnerin kaut trotzig auf ihrem Kaugummi und sagt: «Wir bedienen keine Farbigen.» Dazu starrt sie mich an.
Sogar, als er den Manager ruft und ihm erklärt, daß ich Amerikanerin bin, eine amerikanische Indianerin, starrt mich die Kellnerin noch an. Ich kann es nicht ertragen.
«Bitte, bitte», flehe ich ihn an. Ich stehe auf, gehe zur Tür, und Tränen laufen mir die Wangen herunter. «Ich will hier nicht essen. Ich könnte keinen Bissen hinunterbringen.»
«Du hast recht», sagt Pastor Frey. Wir gehen.
Was kann ich für meine Haut? Meine Haut hat eine Farbe, und ihre Haut hat eine andere Farbe. Hat der Schöpfer nicht gemeint, daß jede Farbe ihren Sinn hat?
Es ist nicht das letzte Mal, daß ich so etwas erlebe. Es wird ein Teil des neuen Lebens sein, für das ich mich entschieden habe.

Zurück in Kiakotsmovi, weiß ich gar nicht, wo ich anfangen soll mit dem Erzählen. So viele Erlebnisse, so viele Eindrücke. Nur die düsteren Erfahrungen, die verschweige ich.
«Vater», sage ich. «Du hast dir einmal gewünscht, daß eins von deinen Kindern in Newton studieren kann. Ich werde dieses Kind sein.»
«Es ist gut, daß du weißt, was du willst, mein Kind.

Und es ist gut, wenn du weißt, was du tust. Dann kannst du tun, was du willst.»
«Ja, Vater.» Aber ich bin gar nicht so sicher, ob ich ihn richtig verstanden habe. Lange denke ich über seine Worte nach. Sie verändern sich. Ich weiß, in welche Richtung ich gehen will. Wohin der Weg führt, ich weiß es nicht.

Nur noch wenige Wochen in Neu-Oraibi.
Bei Sonnenaufgang trete ich mit meiner Mutter vors Haus. Wir gehen ein Stück nach Osten, dann setzt sie Lydia auf den Boden, und wir beten. Nur wir. Manchmal kommt Duvangyamsi aus ihrem Haus zu uns. Großmutter betet oben am Kliff wie früher. Wie anders es dort war! Hier unten erhebt sich die zweite Mesa vor der aufgehenden Sonne. Aus vollem Herzen habe ich früher gebetet. Jetzt mache ich die Bewegungen, die die andern machen. Ich bete unser Gebet. Und leise bitte ich Jesus um Weisheit.
Am Abend laufe ich durch die Felder, den Kopf in der Zukunft. Die Felder sind leer, die kärglichen Ernten eingebracht. Nur der zweite Mais, der nicht mehr reif wird, sprießt aus den Pflanzlöchern.
Da sehe ich, wie auf einem Hügel ein kleiner zugespitzter Paho in den Sand gesteckt ist. Seine Adlerfeder flattert an einem kurzen Baumwollband.
Pahos, denke ich, heilig wie die langen Gebetsstäbe, an die viele Federn gebunden werden. Man glaubt, daß sie sehr mächtig sind, jedenfalls die ersten vier Tage, nachdem sie gepflanzt sind. Und ich habe gelernt, wie gefährlich es ist, sie zu stören, bevor sie ihre Kraft verloren haben. Man zieht Unheil auf sich. Einmal, als eine weiße Frau Gebetsstäbe von einem Schrein nahm, hat sie ihr Bein gebrochen. Geister haben sie zu Fall gebracht.

Jetzt weiß ich nicht mehr, ob ich das glauben soll. Eines weiß ich: Wenn ich Christin werden will, darf ich es nicht glauben.
Aber erst muß ich mehr über den Paho wissen. Ich will ihn mitnehmen und meinen Vater fragen. Doch wie ich mich niederbeuge, um ihn aus dem Sand zu ziehen, beginne ich mich zu fürchten. Eine Welle von unbestimmter Angst hält mich zurück.
Nein, sage ich mir. Aberglaube. Dies ist ein Stück Holz mit einer Feder dran. Davor muß ich mich nicht fürchten.
Ich ziehe ihn heraus.
Nichts Schlimmes geschieht.

Zu Hause zeige ich Vater den Paho. Er sitzt an einem Stück Holz und schnitzt eine Kachina-Puppe.
«Was hat er wirklich zu bedeuten?» sage ich. «Ist es nicht nur ein Stab mit einer Feder?»
Vater weicht zurück. Er will ihn nicht anfassen. Sorgenvoll blicken seine Augen.
«Mußt du das wissen?»
«Natürlich. Warum soll ich es nicht wissen?»
«Leg ihn auf den Tisch. Ich werde es dir sagen.»
Dann beugen wir uns beide über den Paho.
«Siehst du diese blaue abgespänte Stelle an der Spitze? Das ist das Gesicht. Es bedeutet moosige Stellen, Feuchtigkeit. Und darunter ist der Körper des Paho, rot wie unser Sand. Das bedeutet die Erde. Schau den Gebetsstab an: Feuchtigkeit für die Erde.»
«Ein Gebet für Regen?»
«Ja. Und mehr. Der Stab trägt ein Bündel auf dem Rücken.»
«Das Stückchen Maishülse, mit einem Faden zusammengebunden? Wofür ist das?»
«Ich weiß nicht, was drin ist», sagt Vater. «Und ich

werde es nicht aufmachen, um es herauszufinden. Ich glaube aber, daß du wahrscheinlich ein paar Grassamen darin finden würdest, eine Prise Maismehl, ein wenig Pollen und einen Tropfen Honig.»
«Aber warum? Warum? Wozu ist das gut?»
Vater wendet sich ab und setzt sich wieder mit gekreuzten Beinen auf den Boden, hebt die angefangene Puppe und sein Messer auf und schnitzt weiter. Lange sehe ich zu ihm hinunter und warte auf eine Antwort. Er überlegt. Dann beginnt er zu sprechen.
«Wozu es gut ist», sagt er, «hängt von vielen Dingen ab, meine Tochter. Vor allem vom Glauben dessen, der den Paho gemacht und in die Erde eingepflanzt hat. Es ist sein Gebet für eine reichliche Ernte, für genug Feuchtigkeit, um der Erde zu helfen, daß sie volle Maiskolben hervorbringt, pralle Bohnen und süße Melonen.»
Vater hebt sein kleines sorgenvolles Gesicht zu mir auf.
«Bestimmt hast du die Bedeutung der Feder nicht vergessen. Federn stellen die Geister dar, die in allen Dingen sind. Die hier bedeutet den Geist dieses Gebets.»
Ich hebe den Paho auf, um die Maishülse aufzumachen. Da sehe ich, wie die Hände meines Vaters erstarren und Entsetzen auf sein Gesicht tritt. Plötzlich ist es mir unmöglich, den Schatz des Paho aufzumachen ohne seine Erlaubnis. Es würde ihm wehtun, auch wenn er ganz still bleibt und es mir nicht verbietet.
«Darf ich es aufmachen?»
Vater beugt den Kopf. Wahrscheinlich überlegt er sich jetzt, ob es erlaubt ist und was für einen Schaden es mir oder ihm zufügen könnte. Nach einem Zögern seufzt er und sagt:

«Er scheint schon ziemlich verwittert zu sein. Ich glaube, er ist mehr als vier Tage alt. Wenn das so ist, dann hat er seinen Zweck erfüllt, und es ist keine Kraft mehr in ihm. Nimm deine linke Hand.»
Ich tue so, als machte es mir nichts aus, aber ich bin trotzdem sehr vorsichtig. Zuerst mache ich die Maishülse auf. Sie ist zu einem Dreieck zusammengefaltet. In diesem kleinen Beutel ist ein bißchen Material, ungefähr so viel wie eine Erbse. Samen, Maismehl, Pollen, zusammengehalten von Honig, wie Vater gesagt hat.
«Siehst du, es ist nichts Wertvolles drin.»
«Nicht für dich», sagt Vater. «Und nicht für mich. Aber für den, der es im Gebet gemacht hat.»
Ich bin noch voll von Fragen, aber Vater nimmt seine Arbeit und geht nach draußen. Sein Gesicht ist undurchdringlich und geheimnisvoll.
«Um Gottes willen, Mutter», bricht es da aus mir heraus. «Hat denn alles in unserm Leben eine verborgene Bedeutung?»
Mutter hat die ganze Zeit still an einem Korb gearbeitet und zugehört.
«Warum hat er gesagt, ich solle meine linke Hand nehmen, um das Ding aufzumachen?»
«Dir kommt es töricht vor, weil du jung bist und nicht alles verstehst», sagt Mutter geduldig. «Aber vielleicht bist du töricht, weil du es nicht verstehst, obwohl du eine Hopi bist. Ich will dir etwas über die linke Hand sagen. Die linke Hand», erklärt Mutter, «ist auf der Herzseite des Körpers. Sie bewegt sich langsamer. Sie wählt aus, statt zuzugreifen wie die rechte. Sie ist reiner. Sie berührt nicht den Mund beim Essen, sie reinigt nicht den Körper, nachdem er Abfall ausgeschieden hat. Das tut die rechte. Weißt du noch, wie du dem Medizinmann bei der Arbeit zugesehen hast?

Er gebraucht die linke Hand, auch bei den Zeremonien. Die linke ist also die Hand des Herzens und des Geistes, nicht der Natur und der Erde.»
Wie schön Mutters Worte sind, denke ich. Am liebsten würde ich ihr eine spöttische Antwort geben, die vernünftiger ist als das, was sie sagt. Aber ich kann keine finden. Ich schaue meine Hände an. Die linke und die rechte.
«Ich will dir noch etwas über die Pahos sagen. Sie müssen unberührt bleiben von der Lebensweise der Weißen, wenn sie die volle Kraft der alten Zeiten behalten sollen. Darum werden sie nicht mit Stahlklingen gespitzt, sondern auf einem Sandstein geschliffen, bis sie scharf sind.»
Während ich noch über das nachdenke, was sie gesagt hat, sehe ich einen von ihren Brüdern am Fenster vorbeigehen. Schnell lege ich den Paho aufs Fensterbrett. Mit der linken Hand. Ich möchte nicht mehr darüber sprechen, wenn er kommt.
«Polingaysi!» ruft der alte Mann. Sein Gesicht faltet sich zu einem großen Willkommenslächeln. «Es ist eine große Freude für mein Herz, dich nach deiner Reise wiederzusehen. Wir sind immer glücklich zu sehen, wie unser Kind heimkommt, selbst wenn wir deshalb zum Essen auf einem hölzernen Podest sitzen müssen.»
«Danke, Onkel», sage ich. Ich muß über seine Worte lachen. Er beklagt sich immer, wenn er am Tisch sitzen muß. Er sagt, daß seine Füße kalt werden, wenn er nicht auf ihnen sitzen kann.
Wenn ich ihn so anschaue, voller Liebe und Erinnerung, muß ich an all die neuen Gedanken denken, die sich in meinem Kopf angesammelt haben. Er liebt mich, aber er hat nicht den Wunsch, mein Wissen zu teilen. Er braucht es nicht. Für ihn ist das Alte das Beste. Er verlangt nicht viel vom Leben: genug Essen,

damit sein alter Körper weiteratmen kann, ein bißchen Wärme an der Feuerstelle, einen Schluck Wasser, wenn es ihn dürstet.
Er ist zufrieden. Nur ich halte immer wieder meinen Becher hin, daß er mit Wissen gefüllt werde.
Aber wozu? Die Menschen, die ich liebe, wissen nicht, was ich weiß. Und sie wollen es nicht wissen, weil sie es nicht brauchen. Und ich? Ich weiß so vieles nicht, was sie wissen. Weil ich es nicht brauche?
Wenn ich jetzt meinen Onkel ansehe, fühle ich mich allein mit meinen Wünschen. Wozu will ich alles wissen, wenn ich es nicht teilen kann? Ich will nicht, daß seine Füße kalt werden. Ich will, daß er warm und glücklich ist. Und nicht nur er. All die Menschen, zu denen ich gehöre.

Mein Großvater ist alt und krank. Er kann nicht mehr aufstehen.
«Großmutter», sage ich, «wie geht es ihm?»
Sie sitzt im Schatten vor ihrem Haus. Sie hat eine Flechtarbeit auf ihrem Schoß, aber ihre Hände zittern.
«Leise!» sagt sie.
Drinnen höre ich Großvater sprechen. Ich möchte wissen, mit wem er redet. Vorsichtig gehe ich hinein, um nicht zu stören. Er ist allein.
«Schrei du mich nur weiter so an», sagt er mit Festigkeit zu seinem unsichtbaren Besucher. «Du machst mir keine Angst. Geh weg! Laß mich in Ruhe! Stör mich nicht! Ich bete.»
Er liegt auf seinem Lager, mit geschlossenen Augen. Dann macht er die Augen auf. Sie sehen gar nicht müde aus.
«Nein!» sagt er. «Nein, ich komme nicht mit dir. Du sagst, daß ich weinen werde? Nun, das werden wir ja sehn.»

«Mit wem sprichst du, Großvater?»
Der sterbende Mann wendet mir langsam sein Gesicht zu.
«Massau-u», murmelt er. «Hast du ihn nicht gehört? Er hat mich gerufen. Huuu-o-o, huuu-o-o, hat er gesagt. Jetzt ist er gegangen. Ich habe ihm gesagt, er soll mich in Ruhe lassen.»
Massau-u, denke ich. Tod und Zerstörung. Der alte Besitzer von Oraibi. Und obwohl ich jetzt so viel über Jesus weiß, fühle ich eine Gänsehaut auf meinen Armen.
Herr, gib mir Kraft, bete ich und schließe die Augen für eine Weile. Aber in meinen Ohren klingt Massau-us unheimlicher Ruf.
Am nächsten Tag ist mein Großvater tot. Er hat die Reise zum Ruheplatz der Seelen angetreten, sagt man. Die Vorbereitungen für das Begräbnis beginnen. Die älteste Frau seines Klans wäscht ihm die Haare. Eine Maske aus ungesponnener Baumwolle bekommt er aufs Gesicht, mit Löchern für die Augen und den Mund, damit der Tote so weiß und so unversehrt wie nur möglich vor dem Großen Geist erscheinen kann. Sie gleicht der Wolkenmaske, die sein Geist tragen wird. Mit einer Decke bekleidet, mit Gebetsfedern im Haar, an den Händen und Füßen, so kommt er in sein Grab.
Sie begraben ihn sitzend, weil er ein weiser Mann war, der viel sehen konnte. Nicht wie die andern, die mit dem Kopf nach Westen liegen. Wer jeden Morgen nach Osten betet, weiß, daß der Tag kommt und sein Herz wächst. Aber die tot sind, können nicht mehr beten. Darum werden sie nach Westen begraben, weil das der Ort ist, wo die Sonne hingeht. Wer aber sitzt, kann noch sehen, was von Osten kommt. Vielleicht kann er dann wirklich als erster sehen, wie eines Tages

der gute Bahána zu uns kommt, von Osten, wie es verheißen ist.
Am vierten Tag nach dem Begräbnis gibt es ein Fest. Das beste Stück des Essens wird in einer Schüssel auf sein Grab gelegt. An diesem Tag, wenn man ihm Nahrung anbietet, wird er herauskommen. Der Grabstock wird seine Leiter sein, und dann wird er durch das Sipápuni im Grand Canyon in die Unterwelt zurückgehen. Das ist seine neue Geburt.
Oh, Großvater, denke ich. Wie viel hast du gearbeitet. Möge deine Reise gut sein.

Am nächsten Tag schickt mein ältester Onkel nach mir. Ich soll ihn besuchen. Mit bangen Gefühlen mache ich mich auf den Weg.
Wenn bei uns Kinder belehrt, gescholten oder bestraft werden, dann tun es die mütterlichen Onkel. Sie sorgen dafür, daß wir das Richtige tun. Wenn ein Kind morgens bei Sonnenaufgang nicht aufstehen will, um zu beten, dann kommt ein Bruder der Mutter. «He, komm», sagt er. «Steh auf. Weißt du nicht, daß es unrecht ist, das Leben zwischen den Fellen zu vertrödeln?»
Es ist, wie ich befürchtet habe.
«Du hochmütiges, du trotziges Mädchen! Was tust du? Warum lebst du nicht, wie du leben sollst? Weißt du nicht, daß ein Hopi nicht hochmütig sein darf? Habe ich dir nicht gesagt, daß keiner sich für etwas Besseres halten darf? Warum versuchst du, eine Weiße zu werden? Geh nach Hause. Heirate. Bring Kinder zur Welt und erziehe sie zu guten Hopi.»
In seinen Augen steht der Zorn, in seinen Mundwinkeln aber Verachtung.
«Was habe ich gesagt? Hopi? Du kannst gar keine Kinder erziehen. Du weißt zu wenig. Du bist keine

Hopi mehr. Du willst weggehen. Und wenn du in einem Jahr zurückkommst, wird es endgültig zu spät sein. Dann wirst du überhaupt nichts mehr wissen. Geh nicht zu diesen Leuten.»
Tränen laufen mir übers Gesicht. All meine Verwirrung, meine qualvolle Unentschiedenheit überwältigen mich. Ich kann es nicht mehr ertragen. Ich schlage zurück.
«Nein! Ich will dies heidnische Leben nicht. Nie. Nie wieder! Ich habe gearbeitet, und du machst dich über mich lustig. Kilometerweise habe ich schmutzige Böden gescheuert, bloß um ein bißchen Lesen, Schreiben und Rechnen zu lernen. Und als ich nähen konnte, habe ich für Geld Kleider gemacht, während die andern Mädchen schliefen. Ich habe hart gearbeitet für alles, was ich habe. Glaubst du, ich bin zurückgekommen, um wieder auf dem Boden zu schlafen und aus einem einzigen Topf zu essen oder auch nicht zu essen? Glaubst du, ich will einen Haushalt haben, Kinder in Lumpen und immerzu hungrig wie in meiner Kindheit? Nein! Es ist mir gleich, was du denkst. Und was die andern denken. Jetzt macht es mir nichts mehr. Ich werde noch mehr lernen, so sehr du mich auch verachtest.»
Ich kann nicht mehr sprechen. Heftig zitternd laufe ich hinaus, ohne seine Antwort abzuwarten.
Oh, denke ich, wie konnte ich es wagen. Wie konnte ich so mit meinem eigenen Onkel sprechen. Das ist schrecklich. Aber ich wußte mir nicht anders zu helfen. Seine Worte haben weh getan wie die Schnüre der Kachina-Peitschen, als ich ein Kind war. Aber es ist nicht recht.
Besinnungslos eile ich nach Hause. Ich wasche mir das Haar, um Ruhe und Reinheit wiederzufinden. Ich finde sie nicht. Verzweifelt schlafe ich ein.

Morgen werde ich in Moencopi sein. Zwieherz nennen sie mich, weil ich ihrem Glauben untreu bin. Das ist eins der schlimmsten Wörter, die unsere Sprache hat. Und heute wandere ich zum Oraibi Wash, der früher einmal ein sanft gewundener Strom war. Jetzt ist die Wasserrinne tief eingeschnitten, und der wandernde Sand häuft sich zu Dünen auf. Der Wind treibt den Sand weiter, um alte Werkzeuge und Geräte freizulegen. Manche sind noch ganz, und ich sehe die Menschen vor mir, die sie vor vielen Jahrhunderten gebraucht haben. Menschen wie die, die jetzt leben.

Hin und wieder ein alter Baum, halbtot. Zersplitterte, zerfaserte Stämme, tote Äste, die sich gegen den Himmel abheben. Ich stehe neben einer Baumwollpappel, die sich jahrein, jahraus gegen die Winde gewehrt hat, gegen diese Winde, die reißen und zerren und schneidende Sandkörner in unendlicher Zahl mit sich tragen. Sein Stamm ist geknickt, umgebrochen vom Wind oder von einem Gewitter. Seine Krone hängt herab. Aber sie ist nicht tot. Sie grünt. Ich lehne meine Stirn an ihn, greife mit den Händen nach seiner rauhen Rinde und stelle mir Fragen. Die immer wiederkehrenden Fragen, auf die ich keine Antwort weiß.

Und ich brauche die Antwort so sehr. Ich werfe mich mit dem Gesicht in den Sand. In meinem Schmerz klammere ich mich an Mutter Erde. Ich muß etwas haben, an das ich mich halten kann. Etwas, das gut und vertraut ist. Und was ist vertrauter als dieser Sand? Verzweifelt kralle ich mich in den Boden. Ich weine und schreie in meiner Hilflosigkeit. Hier kann ich es tun. Hier sieht mich keiner.

Allmählich legt sich der Sturm. Ich kann mich aufsetzen. Tränenüberströmt schaue ich mich um. Hier am Fluß. Hinter mir die Mesas. Vor mir die Einöde. Ebene. Hügelige Stellen von Felsenschutt. Einzelne

Steindenkmäler. Ich öffne meine Hände. Der Sand kann herauslaufen. Ein paar Körner bleiben an meinen feuchten Handflächen haften. Ich will sie abwischen. Da sehe ich sie. Sehe sie wirklich, wie ich sie noch nie gesehen habe. Ihre Farben. Ich atme tief, um meine letzten Tränen zurückzudrängen. Und dann sehe ich genau hin. Zahllose Körnchen. Wie schön sie sind: Rot. Sonnenbraun. Gelb. Rosa. Weiß. Schwarz. Grau. Braun. Alle sind verschieden in der Größe. Und vielleicht auch in der Form und im Stoff, aus dem sie gemacht sind. Und wenn all ihre Verschiedenheit zusammenkommt, bilden sie die gewaltigen rosa Massen der Sanddünen.

Sand, denke ich, Erde. So notwendig für die Welt, wie wir Menschen selber es sind. Und wenn Menschen notwendig sind, dann bin ich es auch. Ich bin ein Mensch. Zerbrechlich, vergänglich und doch notwendig. Ich bin ein Teil der großen rosa Düne der Menschheit und gehöre zum Plan aller Dinge.

In Gedanken wische ich mir diesen Sand von den Händen. Ich trockne meine Augen, putze mir die Nase und lege eine lose Haarsträhne hinters Ohr.

Gut, verspreche ich mir. Ich werde vor nichts mehr davonlaufen.

Was ich jetzt tue, ist es nicht das, was ich von unsern Vorfahren gelernt habe? Steh auf! Du mußt dein Leben vom Anfang bis zum Ende leben. Niemand anders kann es für dich tun. Gilt das nicht auch jetzt, wo eine neue, eine fremde Lebensweise uns gegenübertritt und unsern uralten Weg des Friedens erschüttert?

Ein Grundsatz unseres Volks ist es, keinen Widerstand zu leisten. Kämpfe nicht. Denke nichts Verächtliches über andere. Versuche nicht gleichzuziehen, wenn sie dich verletzen. Wenn du Rache suchst, fügst du dir selber mehr Schaden zu als den andern.

Zwieherz. Sie müssen wissen, was sie tun, wenn sie mich verurteilen. Sie müssen es mit ihrem Herzen abmachen. Und ich mit meinem.
Ich streichle den Baum zum Abschied.
Asquali.

Langsam mache ich mich auf den Heimweg.
Nicht zurückschlagen, denke ich. Ist das nicht auch die Lehre der Missionare? Wie sonderbar ist es, daß die Christen unsern Glauben verachten, wenn unsere Lehren so große Ähnlichkeit haben. Sehen sie es nicht? Meine Mutter hat mich dazu erzogen, hilfsbereit und großzügig zu sein. Ich habe Verantwortung gelernt, mir selber und andern gegenüber. Ein Mensch ist Teil des Universums und muß sich im Gleichgewicht halten, habe ich gelernt. Alle Dinge, die belebten und die unbelebten, haben Leben und Sein. Ein wahrer Hopi bemüht sich, des tiefen geistigen Wesens bewußt zu sein, das im Herzen aller Dinge ist. Wir müssen in die Natur hineinreichen und ihr helfen, sich in ihren Kreisläufen vorwärts zu bewegen, harmonisch und schön.
Beim Morgengebet hauche einen Wunsch, daß dein Leben gut sein möge. Wer etwas Gutes hat, um danach zu leben, der möge ein langes Leben leben. Wer glücklich ist, singt. Singe, wenn du in der Morgendämmerung zu deinem Garten gehst. Singe, wenn du in der Sonne arbeitest. Laß nicht zu, daß Zorn dich vergiftet. Gedanken des Zorns öffnen Wege, durch die schlechte Einflüsse Eingang in dein Leben finden.
Mit diesen Gedanken im Herzen gehe ich weiter, Schritt für Schritt, aufmerksam auf jeden Flecken, auf den mein Fuß tritt.
Wie schön sie ist, diese Art zu denken. Ich werde sie nie vergessen. Ich bin kein Zwieherz.

Die Sonne geht unter. Der Schatten unterm Kliff wächst, gleitet über den Fluß und dann langsam die vergoldete Mesa im Osten hinauf. Still und süß ist die Wüstenluft.

Ein Ruf kommt durch die Stille. Die Stimme des Dorfausrufers, der eine Ankündigung macht. Ich verstehe nicht, was er sagt. Der schwache Laut streckt sich nach mir aus und verbindet mich mit allem, was zu mir gehört. Die Hoffnung ist zurückgekehrt. Das Gleichgewicht ist wieder da. Ich habe aufgehört, mich aufzubäumen. Ich habe den Zorn aufgegeben. Ich lasse die Arme hängen und bin bereit. Auf all die Fragen, die mich ängstigen, werde ich die Antwort dann finden, wenn ich sie brauche.

Am andern Morgen nehme ich meine Sachen. Vater steht draußen bereit, mit seinem klapprigen Wagen, seinen Pferden. Er will mich nach Moencopi bringen.

«Ich werde euch besuchen», sage ich. «Bald.» So ist der Abschied von meiner Mutter, von meinen Geschwistern weniger traurig.

«Warte», sagt Vater. «Steig noch nicht ein. Erst gehen wir ein Stück.»

Er führt mich über die Felder.

«Polingaysi, du hast oft davon gesprochen, daß du dir einmal ein Haus bauen willst. Und bevor du uns wieder verläßt, sollst du wissen, daß auf unserm Land Platz ist für all meine Kinder. Ich werde hier weiter pflanzen und ernten. Aber wenn du bereit bist zum Bauen, dann kannst du dieses Stück Land haben. Wenn es dir gefällt.»

Es ist in einiger Entfernung von Mutters Haus. Das Grundstück neigt sich sanft nach Osten. Der Oraibi Wash ist keinen Kilometer entfernt. Und auf der andern Seite des Flusses, jenseits von einem Stück Land, auf dem ein paar Gärten sind, erhebt sich eine

Mesa, die ich immer Dawaki genannt habe. Sonnenplatz. Sie ist von ein paar Reihen von Wacholdern gekrönt. Vor langer Zeit bin ich dort oben gewesen mit ein paar andern Kindern, kann mich an Überreste von Häusern erinnern, an Steinwände, die von einem Pueblo-Volk erzählen, das hier gelebt hat. Große Mengen von zerbrochenem Tongeschirr gibt es dort, abgeschliffen vom Wüstensand, der darüberstreicht. Dann streift der Blick weiter über die Sanddünen mit ihren einsamen Baumwollpappeln, über die gerade Linie der unteren Restberge, und jenseits davon erhebt sich das dunkle Blau von Tafelbergen, die die äußerste südliche Begrenzung des Hopi-Lands bilden. Fern am südwestlichen Horizont die San-Francisco-Berge. Im Westen nebenan ein Obstgarten mit jungen Apfel- und Pfirsichbäumen. Ein sandiger Hügel. Dann die Dorfhäuser, und darüber das alte Oraibi, hoch auf der Mesa. Der Trading Post. Und dahinter im Norden der gelbe Kürbiskernhügel, der seine glänzenden Kliffs in den nördlichen Teil des Dorfes schiebt.

Ganz in der Nähe ist Annas Haus.

Ich werfe noch einen Blick nach oben. Alt-Oraibi. Ich habe es hinter mir gelassen.

«Oh, Vater», sage ich.

Vor mir steht ein Baum. Eine schlanke, junge Baumwollpappel, die noch zierlich ihre Herbstblättchen ausbreitet. Und mein Vater hat sie gepflanzt. Für mich. Der Baum hält meine Aufmerksamkeit gefangen. Er ist hier gepflanzt, und er wird hier bleiben. Er hält seine Äste in jede Jahreszeit. Er ist beständig. Hier will ich auch Wurzeln schlagen. Ich will mit diesem Baum wachsen, in seinem Schatten ausruhen, der Musik des Winds in seinen Zweigen zuhören, den wilden Vögeln zusehen, wie sie ihre Nester bauen und ihre Jungen füttern.

«Der Platz gefällt mir», sage ich zu meinem Vater, der schweigend neben mir steht und sieht, was ich sehe. «Es ist mein Platz. Ich werde zurückkommen. Hier werde ich mein Haus bauen. Hier neben dem Baum, den du gepflanzt hast.»

Nachwort

Dieses Buch ist nicht von mir. Ich gebe nur weiter, was ich von andern bekommen habe, von Menschen, die die Welt des Hopi-Volkes erforscht und beschrieben haben, vor allem aber von Elizabeth Koyawayma White, die ihr Leben in einem Buch erzählt hat. Als Polingaysi, als «Schmetterling, der zwischen Blumen in der Brise sitzt», wurde sie um 1892 als Tochter der Sevenka und des Koyawayma in Oraibi geboren. Heute, 1985, lebt sie in Neu-Oraibi.

Von ihrer Kindheit erzählt diese Geschichte, vom Leben und von den Konflikten auf den Mesas, die sich über den 2000 m hohen Ebenen von Arizona erheben. Polingaysis weiteres Leben war mit Lernen und Arbeiten ausgefüllt. Sie studierte an der Bethel Academy in Kansas und kehrte 1914 als Missionsfürsorgerin auf die Mesas zurück. Aber sie konnte sich nicht in diese Rolle finden und erhoffte sich von einem Studium in Los Angeles bessere Voraussetzungen. 1920 begann sie, auf ihrem Grundstück in Neu-Oraibi ein Haus zu bauen. 1924 kehrte sie ihrer Ausbildung den Rücken und wurde Hausmeisterin in der Schule von Hotevilla. Von da an wuchs sie allmählich und unter vielen Selbstzweifeln in den Beruf der Lehrerin hinein, der sie an verschiedene Orte zu Hopi- und Navajo-Kindern (sprich: Navaho) führte. Bei dieser immer wieder von Schwierigkeiten, Zweifeln und Angst vor dem Unbekannten überschatteten Arbeit entwickelte sie bald ihre eigenen Unterrichtsmethoden, mit denen sie sich gegen das wandte, was sie als Kind in der Schule erleben mußte. Ihr Unterricht ging vom Bekannten aus und wandte sich von da zum Unbekannten, von Hopi zu Englisch, vom Spiel zum Lernen. Mit der Zeit errang sie die Anerkennung von Fachleuten weit außerhalb der Reservate.

Mit vierzig Jahren heiratete sie, aber die Ehe hatte keinen Bestand. Einunddreißig Jahre unterrichtete sie, und nach ihrer Pensionierung kamen Erzieher zu ihr, um Rat einzuholen. Inzwischen suchten die Hopi für ihre Kinder, was sie zuerst nur mit Auflehnung entgegengenommen hatten: die Schule. Viele wollten eine College-Bildung. Elizabeth White war die treibende Kraft bei der Errichtung eines Stipendien-Fonds. Immer hat sie sich als Bindeglied zwischen beiden Welten verstanden, wollte helfen, die Kluft zu überbrücken, das Verständnis zu fördern. Ihre Überzeugung ist: «Erkenne das Beste in deiner Kultur und halte daran fest, denn es wird immer zuvorderst sein in deinem Leben; aber versäume nicht, auch das Beste von andern Kulturen zu nehmen und es mit dem zu verbinden, was du schon hast.» *(Polingaysi Qoyawayma, No Turning Back, Albuquerque 1964).*

Heute durchziehen schwarze Landstraßen die Reservate. Das Hopi-Land ist nicht mehr isoliert.

Oraibi zerfällt. Dieses Dorf ist der Ort in den Vereinigten Staaten von Amerika, der am längsten zusammenhängend bewohnt war, das Zentrum einer Kultur von hohem Entwicklungsstand, wenn man diesem Begriff eine Bedeutung zubilligt, die sich von unserer gewohnten in mancher Hinsicht unterscheidet. Während in den westlichen Kulturen Veränderung eine Triebfeder der Entwicklung ist, stellt sie bei den Hopi keinen Wert dar. Ihnen geht es darum, mit Erfolg in der Welt zu leben, wie sie ist, als Teil der alles durchdringenden Geisteswelt. Wettbewerb und seine Folgen werden verachtet, Belohnungen abgelehnt, da das Ergebnis selber die Belohnung ist. Der Mensch erlebt sich nicht als Teil einer regulierten Wirtschaft, denn das Indivi-

duum entscheidet und trägt die Konsequenzen, so daß es auch keine Arbeitgeberverhältnisse gibt. Das Mehrheitsprinzip, das nur Zahlen, nicht Erfahrung repräsentiert, widerspricht der Hopi-Überzeugung. Jeder trifft seine Entscheidungen selber und folgt ihnen, bei allem Wissen um die gegenseitige Abhängigkeit und die Nützlichkeit vereinten Handelns. Wahlkämpfe passen nicht in diese Kultur, wo das Amt den Mann sucht und nicht umgekehrt. Sie lehnen das Rentensystem ab, das ein tief eingewurzeltes Verantwortungsgefühl zerstören würde, Drogen, den Wehrdienst, alles, was zum Verlust der Kontrolle über sich selber führt. Die Hopi haben ihre Geschichte überall im Land in die Felsen geritzt. Ihre Sprache ist komplex, die Überlieferung reich. Aber nie haben sie eine Schrift entwickelt. Dahinter steht die Überzeugung, daß geschriebenes Wissen zu Meinungsverschiedenheiten und Streit führt, mündliche Überlieferung dagegen korrekt gelernt und weitergegeben wird. Auch heute bestellen Hopi ihre Felder nach der Methode des Trocken-Anbaus und bewässern ihre Felder nicht. Die Wissenschaft ist noch nicht imstande, den Erfolg dieser Ackerbauweise zu erklären.
Die Hopi selber nennen sich Hopitu-Shinumu, kleines Volk des Friedens. Nicht immer sind sie ihrem eigenen Anspruch gerecht geworden. Aber «um gegen ihre Aggressionen anzukämpfen, haben sie Verhaltensmuster entwickelt und besitzen viele traditionelle Möglichkeiten, Aggressionen zu begegnen» *(Harry C. James, Pages from Hopi History, Tucson 1976)*.
Bis heute setzen sich die Hopi mit den Problemen auseinander, vor die sie durch das Eindringen der Weißen und deren Versuche, das Leben der Indianer verwaltungstechnisch zu regeln, gestellt wurden, und oft sind die Meinungen geteilt. Bis heute bemühen sie

sich darum, in einer veränderten Umwelt ein nützliches, glückliches Leben in Harmonie zu führen.
1949 teilten Hopi-Sprecher dem Präsidenten der Vereinigten Staaten in einem Schreiben mit: «Wir haben unsere Landeshoheit niemals an eine fremde Macht oder Nation abgetreten. Wir sind noch immer eine souveräne Nation.» *(Frank Waters, Das Buch der Hopi, Eugen Diederichs Verlag, Düsseldorf 1980)*.
Wenn dieses Buch dazu anregt, mehr über das Leben und die Geschichte dieses oder anderer Völker zu lesen, die auf der Suche nach einem Weg sind, ihr Leben in Übereinstimmung mit ihren Überzeugungen zu leben, wird es ein nützliches Buch sein.

H.J.

Inhalt

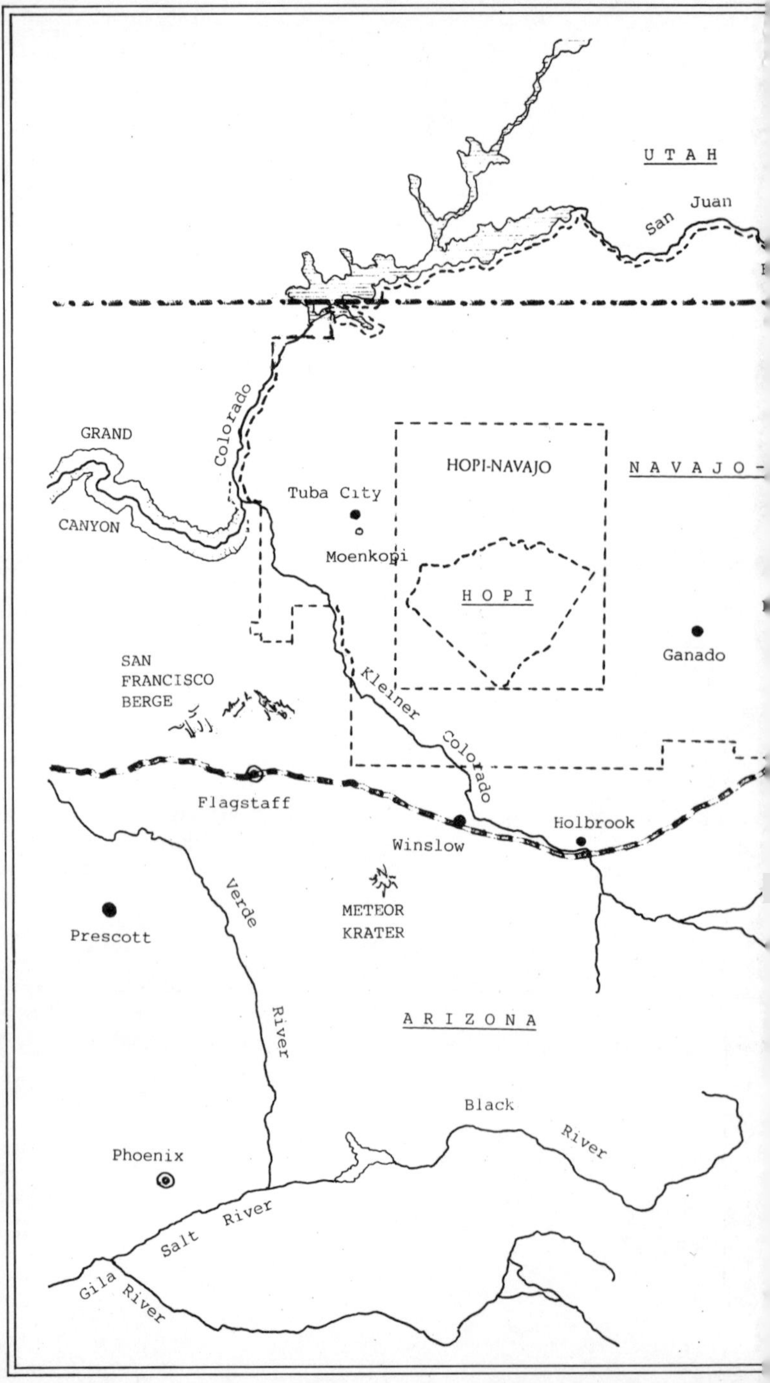

UTAH
San Juan
Colorado
GRAND
CANYON
HOPI-NAVAJO
NAVAJO-
Tuba City
Moenkopi
HOPI
Ganado
SAN
FRANCISCO
BERGE
Kleiner
Colorado
Flagstaff
Winslow
Holbrook
Verde
River
METEOR
KRATER
Prescott
ARIZONA
Black
River
Phoenix
Salt River
Gila
River